Florian Illies

Ortsgespräch

Florian Illies

Ortsgespräch

Karl Blessing Verlag

FSC

Mix

Produktgruppe aus vorbildlich
bewirtschafteten Wäldern und
anderen kontrollierten Herkünften

Zert.-Nr. SGS-COC-1940
www.fsc.org
© 1996 Forest Stewardship Council

Verlagsgruppe Random House FSC-DEU-0100
Das für dieses Buch verwendete FSC-zertifizierte Papier *EOS*
liefert Salzer, St. Pölten.

Dieses Werk wurde durch die
Eggers & Landwehr KG vermittelt.

Die Verwendung des Titels erfolgt mit freundlicher
Genehmigung von Frank Boger, Autor des Buchs »Ortsgespräch«,
Books on Demand GmbH, 2001

1. Auflage
Umschlaggestaltung und Illustrationen: Hermann Hülsenberg
Satz: Uhl + Massopust, Aalen
Druck und Einband: GGP Media GmbH, Pößneck
Printed in Germany
ISBN 10: 3-89667-262-X
ISBN 13: 978-3-89667-262-Y

www.blessing-verlag.de

Natürlich ist in diesem Buch
alles erstunken und erlogen.

1. Kapitel

Geschlossene Ortschaft

In welchem erzählt wird, wie Tante Do
die Marilyn Monroe der Schlitzerländer wurde und wie dieses gallische Dorf
erst dem Kaiser, dann den Russen und
den Amerikanern und schließlich auch der
Moderne widerstand.
Und wie es fast gelungen wäre,
den Siegeszug der Eisenbahn und des Autos
zu verhindern. Nebst einem Lobgesang
auf Arschbomben, dreistellige
Telefonnummern, Schnauzer und
den Sirenenalarm samstags um zwölf.

Erst erkenne ich gar nichts, nur Schemen in Schwarzweiß, dann Felder, Dächer, die schmale Landstraße, den Pfordter See mit seinem Schilfgürtel, und dann, ein paar Sekunden später, rase ich auf den Marktplatz zu, aufs Kopfsteinpflaster, in dem immer tagelang das Regenwasser in kleinen Pfützen stand, und ich sehe tatsächlich die mächtige Buche, in deren Stamm ich einst mit unserem Küchenmesser schmachtend »Tanja« ritzte, was man von oben aber zum Glück nicht sieht. Da bin ich wieder.

Ich sitze in Berlin an meinem Computer, »Google Earth« heißt das Programm, die Bilder kommen aus dem All, hochaufgelöste Satellitenfotos, mit denen man sich an jeden Ort der Erde heranzoomen kann. An jeden. Näher und immer näher. Doch am aufregendsten ist es, zurückzureisen. Per Anhalter in die Galaxis Heimat. Warum nur nutzt man die fortschrittlichste Technik so gerne, um sich zurückzugraben in die Vergangenheit, um das Alter von Fossilien zu bestimmen, um herauszufinden, ob es auf dem Mond Wasser gab und Atlantis in der Ostsee, oder also, ob die Heimat noch so steht – so, wie man sie einst verlassen hat? Die Satelliten senden beruhigende Botschaften: Sie steht. Zuerst sehe ich das Haus von Tante Do, schiefes, altes, schönes Fachwerk, die Dachziegel voll Moos, dahinter die kleine Wiese, die ich immer mähte, auch den Hasenstall sieht man aus dem All. Wenn man genau hinschaut, könnte man sogar glauben, dass man dem Garten ansieht, dass Frühling ist. Oder dass man die kleinen weißen Bleikugeln erkennt, eingefasst in weißer Häkelei, die an den vier Ecken der orangefarbenen Plastiktischdecke hängen, damit sie der Wind nicht emporhebt wie den Rock von Marilyn Monroe. Aber so etwas sieht man leider nicht, vor allem nicht mit minus drei Dioptrien. Der Computerbildschirm sagt mir: Sie haben den Suchort gefunden, 50. Breitengrad 40 Nord, 9. Längengrad 34 Ost. Bruce Springsteen singt: This is your hometown... Wenn ich auf den Weg zum Pfordter See zoome, dann spüre ich wieder den Fahrtwind am nass geschwitzten Haaransatz, wenn ich mich abgestrampelt hatte und dann den letzten Kilometer runterrollen ließ, durch Wald, durch wogendes Korn, durch schreiend gelben Raps. Und wenn ich das Freibad von oben sehe, rieche ich wieder die süße Sonnencreme auf dem unendlich fernen Mädchenrücken vom Handtuch nebenan und höre das schmatzende Geräusch, wenn Kevin Madsack vom Drei-Meter-Brett eine seiner legendären Arschbomben machte. Edgar Reitz, der Regisseur der großen »Heimat«-Filme (also jemand, der es wissen muss), sagt mir und allen anderen: Heimat ist immer etwas Verlorenes. Stimmt das?

Ein paar Tage später reise ich wieder zum Suchort – genauer: zum verwackelten Fachwerkhaus von Tante Do. Doch diesmal nicht mit dem Computer, sondern mit der Bahn; der Grund ist, wie so oft, sehr rund. Aus nie ganz geklärten Umständen hat Tante Do nämlich fast jedes Jahr einen runden Geburtstag gefeiert, und daran hat sich bis heute nichts geändert. Irgendwann hatte man einfach aufgehört zu zählen. Nur Tante Rosa, die eine große Dichterin ist, blieb dabei – es gab von ihr nicht nur zu jedem Anlass neue Gedichte, sondern sie brachte immer auch die alten Liedzettel von der letzten Feier mit, die sie mit kleinen Aufklebern aktualisierte, indem sie das neue Jubeljahr mit Kuli auf kleine Klebezettel schrieb, die dann die vergangene runde Zahl überdeckten. Beim letzten Geburtstag von Tante Do jedenfalls habe ich, als alle fertig gesungen hatten, einmal die alten Kleber abgepult und kam von 85 abwärts über die 75 und die 70 bis zur 65. Die 60 darunter war das Originalmanuskript. In der Provinz schließen sich Herzlichkeit und Pragmatismus also nicht aus. Man könnte auch sagen: Hier weiß man noch, der allgegenwärtigen Beschleunigung zu trotzen. Oder auch einmal von rechts zu überholen: Das letzte Mal jedenfalls präsentierte Tante Rosa neben dem Liedzettel auch gleich ein fiktives »Interview mit einer Hundertjährigen« – denn das ist insofern ein Fixpunkt in Tante Dos Denken, als sie einmal vor ein paar Jahrzehnten im Überschwang angekündigt hatte, mit hundert Jahren ihren Führerschein freiwillig abgeben zu wollen. Inzwischen aber ist sie sich nicht mehr sicher, ob sie wirklich schon so früh zum alten Eisen gehören will.

Zu den universellen Konstanten des Geburtstagsprogramms bei Tante Do gehört seit über einem halben Jahrhundert auch die Kuchenauswahl: Bienenstich, Schwarzwälder Kirsch und Buttercremetorte. Über die sich dann eine seit ebenfalls fast einem halben Jahrhundert konstante Gästeschar aus immer runder werdenden Onkels, Tanten, Nachbarn, Cousins und Cousinen hermacht. Auf den Bildern in unseren alten Kunstleder-Fotoalben mit Goldprägedruck haben die Männer früher zwar alle schmale Gesichter und eckige schwarze Brillen und die Frauen hohe Locken und enge Kleider. Und die von Onkel Hägar gepflanzten Tannen, die heute das Wohnzimmer verdüstern, sind noch ganz klein. Aber irgendwo sieht man darauf immer eine stolze, strahlende Tante Do und auf dem Tisch ihr legendäres Kalorientrio: Bienenstich, Schwarzwälder Kirsch, Buttercremetorte – das erkennt man auch in Schwarzweiß. Den schwer Süchtigen wurde, seit ich mich erinnern kann, beim Abschied in der Küche noch verschwörerisch Buttercreme in Tupperdöschen zum Mitnehmen zugesteckt. Wenn man bedenkt, dass man mit dem Leeren einer dieser Buttercremedosen den gesamten Jahresbedarf an Zucker problemlos decken konnte, bevor man zu Hause ankam, war es auch sinnvoll, dass Tante Do nur einmal im Jahr Geburtstag hatte.

Tante Do war von Anfang an die zentrale Autorität unserer Sippe. Natürlich war sie mit niemandem von uns verwandt, aber der Vorteil von kleinen Orten und der jungen Bundesrepublik überhaupt war ja, dass man sich seine Tanten – ob Alteingesessene, Zuwanderer aus dem Sudetenland oder neue Nachbarn – noch selbst aussuchen konnte. Tante Do war für uns Kinderfrau, Kuchenbäckerin, Tante für alles. Wenn Tante Do nicht Tante war, dann war sie Oberschwester. Oberschwester Doris. Kraft dieses Titels sorgte sie für Angst und Schrecken unter den wehleidigen Männern des Krankenhauses, die sie als Simulanten beschimpfte und frühzeitig nach Hause schickte – und als Gefahr gilt sie auch für den örtlichen Straßenverkehr: »Achtung am Schwarzen Grund«, predigt der Fahrlehrer jedem Jahrgang aufs Neue, »hier kommt die Schwester Doris rausgeschossen.« Sie hat eine wahre Oberschwesternfigur, walkürengleich, blondes Haar, durchgedrückter Rücken, zwar so groß wie Nadja Auermann, aber wo diese kantig ist, da ist Schwester Doris rund. Tante Do hat, anders gesagt, einen stadtbekannten Busen, und wenn wir mit ihr zu unserer leibhaftigen Tante nach Gießen fuhren, mussten meine Brüder bei der Autobahnausfahrt »Großen Buseck« immer minutenlang kichern. Tante Do aber machte das nichts aus, sie freute sich geradezu, denn ihr selbstloses Motto für eine gute Partnerschaft war: Die Männer wollen auch etwas zum Anfassen haben. Mit diesem Motto hielt sie auch nicht hinterm Berg, wenn ich ihr eine neue schlanke Freundin vorstellte. Dennoch wagte ich mich jedes Mal wieder auf den schmalen Grat beziehungsweise den gefährlichen Weg zu ihr, so wie es auch meine Brüder taten und meine Cousins. Kaum hatte man eine neue Freundin aufgegabelt, brachte man sie zum Test zu Tante Do. Nicht, dass sie darum gebeten hätte. Es war einfach ein ungeschriebenes Gesetz unserer Großfamilie, dass es keinen Zweck hatte, über eine feste Beziehung oder gar eine Heirat auch nur nachzudenken, wenn Tante Do die Dame nicht abgenickt hatte. Da saß man dann scheinbar zwanglos auf der eichenen Eckbank, trank seinen Sprudel, aß Gummibärchen und Butterbrötchen mit Schokostreusel drauf, betrachtete die lila Usambaraveilchen auf der Fensterbank, die unglaublich blühenden Orchideen, den Neckermann-Katalog mit Eselsohren auf den Seiten mit Kittelschürzen, Stapel alter Lokalzeitungen auf dem Fußteil des Ledersessels und die blühenden Alpenwiesen auf dem Kalender der Kreissparkasse rechts von der Tür, und während man so den Blick schweifen ließ, wurde die Dame von Tante Do geröntgt. War sie skeptisch, was meistens der Fall war, zeigte sie das sehr subtil: Erschien ihr ein Name, Katharina etwa, zu maniert, dann nannte sie sie konsequent »Katrin«. Und war sie sich über die Gebärfreudigkeit eines Beckens nicht sicher, hieß es beim obligatorischen Nachgespräch: »Isst sie denn auch genug?«. Trotzig versuchten manche von uns, gegen ihren Willen zu heiraten. Sie hängte sich dann die Hochzeitsbilder zwar auf, direkt neben ihren Kachelofen, wies aber jeden darauf hin, dass sie am Fortbestand dieser Ehe zweifle. Und sie hat – nach einem Jahr oder auch zehn – immer Recht behalten. Kaum war die Scheidung durch, hängte sie erleichtert das Hochzeitsbild ab und ein Jugendfoto der oder des frisch Geschiedenen an seine Stelle. Die Welt rast voran, aber an der Wand neben dem Kachelofen im Schwarzen Grund 17 geht die Zeit auch schon mal rückwärts.

Nicht zuletzt deshalb hat dieses Haus eine solche magnetische Anziehungskraft, die man selbst auf Satellitenbildern zu spüren meint. Die Erde scheint sich am Anfang des einundzwanzigsten Jahrhunderts immer schneller zu drehen, und die ständigen Versuche, Zeit mit E-Mails, SMS und mit Coffee-to-go zu sparen, scheinen am Ende paradoxerweise die verbliebene Zeit noch mehr zu verkürzen. Aber nun gibt es ja schon erste Umfragen, die belegen, dass die meisten Arbeitnehmer sich beklagen, sie hätten kaum noch Zeit zum Arbeiten, weil sie ständig sinnlose E-Mails lesen oder beantworten müssen. Und sicher wird man auch irgendwann mit dem Unsinn aufhören, Cappuccino immer im Laufen aus hellbraunen Pappbechern zu schlürfen, als sei man beim Marathon und dürfe zwischendurch nicht anhalten. In diesen Zeiten wächst die Sehnsucht nach Entschleunigungsoasen wie der im Schwarzen Grund 17. Zu trinken gibt es dort noch heute Capri-Sonne, Auerhahn-Bier und Sprudel aus genoppten Glasflaschen. Und wer Kaffee will, muss sich setzen.

Doch dieser Idylle zum Trotz hat der Schwarze Grund 17 einmal versucht, Kontakt aufzunehmen zur herannahenden Moderne. Tante Dos Großvater saß unten in der Wohnstube an seinem Webstuhl, da, wo jetzt die Eichen-Eckbank steht; er webte Stunde um Stunde und ließ das Schiffchen hin und her sausen, hin und her, hin und her, da sah er aus dem Fenster plötzlich den ersten Zeppelin seines Lebens. Langsam schwebte er auf die Stadt zu wie ein Wesen aus einer anderen Welt. Der Großvater rannte die Treppen hoch bis ins Dachgeschoss, machte die Luke auf, kletterte hinaus, bestieg den Schornstein – und als der Zeppelin das Haus überflog, rief er immer wieder »Hurra!«, »Hurra!«, und warf seinen Hut hinauf. Doch von oben kam: nichts. Keine Reaktion. Ohne zu gucken oder zu winken, flog der Zeppelin einfach stoisch weiter. Diese Zurückweisung hat Tante Dos Großvater nie verwunden. Auch als ihm seine Tochter, die am Kachelofen saß, sagte, dass man ihn in einem Kilometer Höhe gar nicht gesehen haben könne, blieb er verstockt. »Wenigstens grüßen hätten sie können«, soll er gegrummelt haben, als er die Stiegen, die schon damals bei der siebenundzwanzigsten und neunundzwanzigsten Stufe von unten knarrten, wieder herabkam. Dann setzte er sich schnaufend an seinen Webstuhl, um das Schiffchen nach links zu werfen und nach rechts und nach links und nach rechts. Hin und her und her und hin. Für den Rest seines Lebens. Seit diesem Tag im frühen zwanzigsten Jahrhundert wurde das Haus zum Widerstandsnest gegen Fortschritt und Technikglaube und die Einwohner zu Helden des Rückzugs. Und damit man den großen, traurigen Zeppelinbegrüßer nie vergisst, hängt in der Wohnstube ein großes Bild, das den Großvater am Webstuhl zeigt, zufrieden seine Fäden ziehend, aber schwer enttäuscht von der Moderne.

Ihren Platz am Kachelofen hat seine Tochter, Tante Ria, eigentlich niemals wirklich verlassen. Tante Ria war die Mutter von Tante Do, wurde von uns aber, mangels Alternativen, ebenfalls Tante genannt. Sie war naturgemäß noch älter als Tante Do und trug die weißen Haare zum Dutt. Der Weltkrieg, von dem sie erzählte, war der Erste, sie spielte etwas besser Canasta, konnte dafür aber nicht so gut kochen wie die Tochter. Sie wärmte und brutzelte sich stattdessen mehrere Jahrzehnte lang ihren Rücken an dem grünen Kachelofen. Manchmal, wenn sie so stundenlang unbeweglich am dampfenden Ofen saß, hatte ich Sorge, sie brenne gleich an. Ihr Mann hieß Onkel Max, war aus Sachsen gekommen und einst sowohl als süßwarensüchtiger Konditor wie auch als Fußballer aktiv. Als ich auf die Welt kam, übte er beides allerdings nur noch passiv aus, aß also leidenschaftlich gern Kuchen und hatte sich dadurch im Laufe der Jahrzehnte einen so beachtlichen Körperumfang erarbeitet, dass er beim Fußball nur noch zuschauen konnte – das aber tat er mit großer Leidensfähigkeit. Er begleitete Sonntag für Sonntag 14.30 Uhr Ortszeit den Niedergang der heimischen Fußballmannschaft bis zur untersten Kreisklasse – erst als Trainer, dann als Zuschauer, den Spazierstock immer in der rechten Hand. Er wedelte neunzig Minuten lang damit hin und her, als sei er Karajan. Wahrscheinlich machte er sogar sehr detaillierte taktische Vorschläge, doch auf dem Spielfeld verstand ihn niemand. Es hieß dann hinterher von den grasverdreckten Spielern immer entschuldigend, es hätte am Dialekt gelegen, er hätte wieder zu sächsisch dirigiert. Der einzige Sport, den er bis ins hohe Alter aktiv ausübte, war das Turmspringen. Auch wenn dies mehr einem unkoordinierten Fallen gleichkam, auf irgendwelche Drehungen während des Fluges verzichtete er, Onkel Max fand es ein Ereignis an sich, dass er aus drei Metern Höhe in eine blau gekachelte Riesenwanne springen konnte, ohne sich dabei zu verletzen. Weil auch er eine gewisse traditionsbewusste Bockigkeit hatte, weigerte er sich standhaft, die Badehose, die er sich als siebzehnjähriger Konditorlehrling in Dresden zugelegt hatte, durch ein neues Modell zu ersetzen. So stand er noch mit sechzig Jahren auf dem Drei-Meter-Brett, inzwischen hatte sich die Hose jedoch am unteren Bund etwas gelockert, und so bot sich den am Beckenrand Stehenden stets freie Sicht aufs Eingemachte. Onkel Max freute sich, dass immer alle hochschauten, wenn er auf dem Sprungbrett stand. Gütig winkte er nach unten. Und – anders als beim Zeppelin und seinem Schwiegervater – winkten alle lachend zurück. Manchmal hilft es, nicht alles so genau zu verstehen.

Tante Ria saß derweil in Kittelschürze und Strickjacke am Kachelofen und löste mit Filzstift Kreuzworträtsel. Manchmal fragte sie uns »Anderer Name für Schlager, drei Buchstaben?«, aber über die Nebenflüsse der Donau wusste sie bestens Bescheid. Fern sah sie nie, das hielt sie für »Gott gestohlene Zeit«. Jeden Morgen und jeden Abend aß sie zwei Scheiben Graubrot mit Teewurst von einem beschichteten Holzbrettchen. Gewisse Berühmtheit erlangte Tante Ria, als sie, die die Technik der modernen Automobile gar nicht erst zu verstehen versuchte, ein einziges Mal in den fünfziger Jahren mit ihrer Tochter im Auto fahren musste. Als Tante Do Steuerrad und Schaltknüppel betätigte, bevor die kurvenreiche Strecke nach Willofs begann, schaltete sich Tante Ria vom Rücksitz ein: »Nimm mal lieber deine beiden Hände ans Lenkrad – das bisschen Benzingerühr kann ich schon für dich machen.«

Tante Ria nahm eben alles mit einer beeindruckenden Gelassenheit hin, ob aus unerklärlichen Gründen fliegende Zeppeline oder Knüppel neben dem Lenkrad, mit denen man das Benzin umrührt. Als sie einmal im Keller des Schlitzer Schlosses stundenlang Kartoffeln für die Herrschaften geschält hatte, war ihr, wie sie immer wieder erzählte, wenn ich bei ihr »Wetten, dass« guckte und Thomas Gottschalk das Studio betrat, sogar ein höflicher Geist erschienen, mit weißer Perücke und geschnürtem Wams. Später stellte sich heraus, dass der Kartoffelschältag just der Todestag eines Grafen aus dem siebzehnten Jahrhundert war, der offenbar noch einmal kurz nach dem Rechten sehen wollte. Sie empfand solche Besuche aus der Vergangenheit grundsätzlich als sympathischer als solche aus der Zukunft. Selbst ihre dritten Zähne trug sie mit Würde und Stolz, auch wenn sie sich mal wieder vom Gaumen gelöst hatten und auf der unteren Zahnreihe festhingen, wenn sie ein paar Minuten nichts gesagt hatte. Es war für sie normal, dass die Moderne, da die Menschen so dumm sind, sich auf sie einzulassen, ihre Risiken und Nebenwirkungen hat. »Früher hätte ich einfach keine Zähne mehr gehabt«, sagte sie, »jetzt habe ich neue und so auch neue Probleme.« Tante Ria zählte noch zu den Menschen, die, wie Max Weber sagte, »alt und lebensgesättigt« starben.

Nur dreimal am Tag musste sie kurz vom Kachelofen aufstehen, das kleine schmiedeeiserne Türchen des Ofens öffnen und dann in den Schacht hineinrufen: »Pepi!« Da im Haus von Tante Do seit dem schweigsamen Zeppelin eine begründete Skepsis gegen alle Formen von Moderne herrschte, wurde der im Dachgeschoss arbeitende, meist unsichtbare Mann von Tante Do, Onkel Pepi, mit diesem Ruf durchs Ofenrohr zum Essen herabgerufen. Onkel Pepi hatte ein sehr sonnengegerbtes Gesicht, als lebte er noch immer auf jenem hohen österreichischen Berg, von dem er einst mit seiner Doris ins ferne deutsche Tal hinabgestiegen war. Er saß tagein, tagaus in seinem oberhessischen Arbeitszimmer und schrieb österreichische Heimatliteratur, die Bücher, die er verfasste, hießen zum Beispiel »Herzhaftes Volk«. Auch wenn er fern der Heimat weilte: Wenn er vom Nachbargrundstück den oberhessischen Hahn krähen hörte, dachte er ihn sich schnell österreichisch, und alles fügte sich schön zusammen. Und vielleicht kann man ja von den Bergen besonders gut erzählen, wenn man sich nur noch an sie erinnern kann, wenn sie einem nicht mehr leibhaftig den Blick verstellen und den Atem nehmen und die Nachmittagssonne.

Onkel Pepi war ein paarmal von seinem Dachgeschoss heruntergekommen, Stiege für Stiege – es knarrte, wir wissen das, herzzerreißend, vor allem bei der siebenundzwanzigsten und der neunundzwanzigsten Stufe von unten – und hatte versucht, den Führerschein zu machen. Er fiel jedoch jedes Mal durch. Einmal, beim vierten Anlauf, hätte er es fast geschafft, der Fahrlehrer atmete bereits erleichtert durch. Doch kurz vor Schluss raste er über die Bahngleise, ohne vorher nach rechts und links zu gucken. Da war es wieder passiert. Warum, so fragte ihn der Fahrlehrer später, warum um Himmels willen habe er nicht angehalten, da hätte doch ein Zug kommen können?! »Nein«, antwortete Onkel Pepi, der Bahnreisende, ganz ruhig, »da hätte kein Zug kommen können. Der nächste Zug kommt erst um fünf vor sechs.«

Aber an der Bahnlinie haben sich schließlich schon immer die Traditionalisten von den Beschleunigungsfanatikern geschieden. Graf Emil etwa wollte keine Bahnlinie in seinen Schlitzer Ländereien, er hielt dies für neumodisches, überflüssiges Zeug, außerdem fürchtete er, dass der Lärm ihn beim Klavierspiel stören und die prächtigen Auerhähne aus seinen Wäldern vertreiben würde. Doch solcher Trotz währte kaum fünfzehn Jahre. Dann ließ der Kaiser höchstpersönlich eine Bahnlinie nach Schlitz verlegen – und zwar, weil er es erstens auf die Auerhähne abgesehen hatte und zweitens auf Gräfin Sophia Julia Camilla de Villeneuve Cavalcanti d'Albuquerque, die Frau mit dem sensationellsten Namen der Schlitzer Geschichte und die portugiesisch-brasilianische Gemahlin des Grafen Emil, von der es ein schönes, schwermütiges Porträt von Franz Lenbach gibt. Einmal begrüßte sie den Kaiser am Bahnhof mit einem feierlichen »Willkommen in meinem Schlitz«. Alle schauten betreten zu Boden, und sie war seitdem bei der Bevölkerung, aber nicht beim Kaiser, unten durch.

Der Kaiser kam jeden Frühling zur Balzzeit, auch hat er eine Eiche im Schlosspark gepflanzt, die noch heute steht, und im Jagdhäuschen am Eisenberg hat der alte Kraftmeier beleidigt ein feuerndes Kriegsschiff an die Holzwand gekritzelt, die bis heute bedeutendste Wandmalerei des Schlitzerlandes (direkt nach der Heraklius-Legende von 1350 in der kleinen Kirche in Fraurombach). Der Kaiser war an diesem Tage tief gekränkt, weil bei seiner Ankunft – erstmals nicht am normalen Bahnhof (wo es heute Schnitzel für 5 Euro gibt), sondern am eigens errichteten Kaiser-Bahnhof (wo heute Lederta-

schen verkauft werden) – die Schlitzer nicht ihm zu-
gejubelt hatten, sondern einem unbekannten Herrn
niederen Standes mit einem lächerlich riesigen Feder-
schmuck am Hut. Jenen Herrn, der aus Kaisertreue
ebenfalls einen riesigen Schnurrbart trug, hatten die
Schlitzer irrtümlich für seine Hoheit gehalten – es handelte sich jedoch nur um den gräflichen Leibjäger Hof-
mann, ein eitler Geck, der sich in Frankfurt in einem
Karnevalsladen eine Phantasieuniform gekauft hatte. Es
war angeblich das letzte Mal, dass Wilhelm II. nach
Schlitz gekommen ist. Er blieb dann lieber in Berlin, da
galt so etwas wenigstens als Majestätsbeleidigung.

Der letzte Auerhahn wurde übrigens, kaum war der Kaiser tot, in den vierziger Jahren geschossen. Ich hoffe, es
ist nicht der, der im Treppenhaus meines Großvaters
hängt und den Staub anbalzt. Ein ausgestopftes Urtier,
mächtig kräht er hinein in die Stille des Treppenhauses
mit seinen seltsamen roten Zipfeln am Kinn. Ein Stück
Natur- und Heimatgeschichte, fern fast wie der Dinosaurier und doch noch in den heimischen Wäldern
erlegt von ebenjenem Großvater, der mir als Kind ver-
bot, freitags um zehn vor sieben »Rauchende Colts«
zu gucken. Immerhin, die Brauerei heißt immer noch
Auerhahn-Brauerei, und es gibt sie seit 1585 – das erzähle
ich immer denen, die mich damit beeindrucken wollen,
wie unglaublich es ist, einen Petrus-Wein aus dem Jahre

24

1945 zu trinken. Da hatten wir Schlitzer schon fast vierhundert Jahre Alkoholgeschichte hinter uns. Auch in diesem Punkte herrscht im Ort ein hohes Traditionsbewusstsein: Manche Einheimische sehen zugegebenermaßen so aus, als hätten sie diese gesamte Historie sehr aktiv mitbegleitet.

Wenn ich heute zurückkomme in meine Heimat, wie letzte Woche etwa, wenn ich die Großstadt hinter mir lasse und ein paar Stunden lang mit dem Zug zurückfahre aufs Land, dann freue ich mich, wenn der Bahnhof Kassel-Wilhelmshöhe angesagt wird, und zwar nicht, weil dort der mobile Brezelverkäufer zusteigt. Sondern weil dann das Heimatgefühl in mir aufsteigt, wenn kurz hinter Kassel die Wiesen hügeliger werden und die Häuser fachwerkiger. Heimatgefühl war lange verboten, höchstens das Grundgesetz durfte man lieben, sein Auto oder seine Frau. Mein Heimatgefühl war aber schon immer etwas Besonderes, auch weil man es riechen kann. Leider duftet es nicht besonders gut, abgestanden und modrig eher, ein fieser Schwamm, der in den Tannen steckt, aus denen unser Fertighaus gebaut wurde. Er ist dem Haus nicht auszutreiben, nicht durch noch so viele Trocknungswannen und Duftkerzen, er steckt in jedem Briefumschlag, der das Haus meiner Mutter verlässt, sie könnte eigentlich auf einen Absender verzichten, aber sie tut es nicht, weil sie von der

UNICEF für ihre Spenden immer Hunderte dieser kleinen Namensaufkleber mit Vögelchen bekommt, die sie irgendwie loswerden muss. Wenn ich in meiner Heimat war, und sei es für ein paar Stunden nur, rieche ich danach und alle meine Kleider. Dass dieser Geruch schon in meiner Jugend meine Chancen bei den Frauen erheblich einschränkte, merkte ich zu spät, denn das Perfide daran ist, dass man ihn nur wahrnimmt, wenn man von außen kommt und auch nur ein paar Sekunden lang, dann wird man selbst eingelullt und Teil von ihm. Könnte man das Fenster im ICE öffnen, ich glaube, man könnte unser Haus bis Kassel-Wilhelmshöhe riechen. Nur einem Geruch gelang es überhaupt, das Modrige zu überlagern – und zwar dem süßen Rasierwasser des Heizungsmonteurs Gegenbauer. Er hat einen für die landwirtschaftlich geprägte Provinz provozierenden Namen und sieht haargenau so aus wie Detektiv Matulla aus »Ein Fall für zwei«. Er hatte seine Firma in Fulda und eine sehr tiefe Stimme, gerade so, als gurgele er seit Jahren mit frischem Heizöl – aber das kann man nicht beweisen. Beweisen kann man allein, dass er sich mit seinen sehr großen Händen morgens sehr viel Rasierwasser auf seine frisch geglätteten Wangen patschte. Das allerdings könnte auch damit zu tun haben, dass er sich jeden Morgen dafür wappnen musste, in unseren modrigen Keller zu steigen. Denn anders als anderswo gehörte der Heizungsmonteur bei uns fast schon zur

Familie. Man könnte auch sagen, Matulla Gegenbauer besuchte uns so häufig, als seien wir dringend tatverdächtig. Dabei hatte die Firma, die unser Haus baute, vor dreißig Jahren leider schlichtweg eine Problemheizung eingebaut. Wenn es zu ungewöhnlichen Zeiten bei uns klingelte, war es eigentlich immer er, den meine Mutter aus irgendeinem anderen Heizungskeller herbeizitiert hatte. Grob geschätzt war er, seit ich denken kann, mindestens einmal im Monat zu Gast. Es begann immer damit, dass jemand im Haus das Gefühl hatte, die Heizung werde nicht richtig warm. Dann griff jemand zum Hammer, und es wurde minutenlang auf die Leitungen eingeschlagen, dass der Himmel weinte. Dann kam das heiße Wasser meistens noch einmal für ein paar Stunden durch. Doch spätestens einen Tag nach der Hammerattacke war der Ofen aus. Die Heizungen bollerten wie wild – und dann kam die Kälte. Das war der Moment, in dem meine Mutter Herrn Gegenbauer anrief. Der plötzliche Ausfall der Heizungsanlage war bei uns innenpolitisch stets eine drohende Gefahr – ungefähr so drohend wie außenpolitisch der Einmarsch der Sowjetunion. Wenn meine Mutter abends ausging, gab sie mir nicht nur die Nummern aller aktuell wesentlichen Tanten, sondern immer auch die von Herrn Gegenbauer; bis heute kann ich sie auswendig. Meist ging seine Frau ans Telefon, die einem sagte, dass sie sich das gar nicht erklären könne und dass wir dringend eine neue Heizung brauchten. Er sagte dann, wenn er an der Haustür klingelte, genau dasselbe. Dann stieg er in den Keller. Ungewöhnlich am Dauerbesuch des Monteurs war vor allem, dass die Heizungsanlage keineswegs mittelalterlich war, sondern eigentlich in den besten Jahren, aber eben offenbar kein klassischer Fall von deutscher Wertarbeit. Herr Gegenbauer musste nun also ausbaden, was andere verbockt hatten. Seit ich mich erinnere, wird bei uns zu Hause, wenn wir uns mal wieder ausgehämmert haben und in Decken gehüllt beim Abendbrot sitzen und heißen Tee trinken, gefordert, dass wir endlich eine neue Heizung brauchen. Als ich vor kurzem nach langer Zeit wieder einmal nach Hause kam, wurde die Heizung, kaum wehte draußen ein etwas kräftigerer Wind, vor Schreck sofort kalt. Als ich hörte, wie meine Mutter unten den Hammer herausholte und das jähe Geräusch von Metall auf Metall durchs ganze zittrige Fertighaus hallte, riss auch mir der Geduldsfaden. So, sagte ich ihr, jetzt reicht es. Wir kaufen eine komplett neue Heizungsanlage. Da sah meine Mutter mich entsetzt an: Aber ich habe doch vor zwei Wochen eine komplett neue Heizungsanlage gekauft, das habe ich dir doch erzählt! Aber das könne ja nicht sein, erwiderte ich, dass die Heizung dann schon wieder nicht geht, da musst du einfach mal den neuen Heizungsmann anrufen. Ja, sagte sie, ich rufe Herrn Gegenbauer an. Herrn Gegenbauer? Ja, natürlich. Ich hatte es mir auch kurz überlegt, sagte sie daraufhin, aber in so einem kleinen Ort kann man nicht einfach von einem Tag auf den anderen den Heizungsmonteur wechseln, er konnte ja nichts dafür, dass die Vorgängerheizung ein Debakel war, das wirst du auch eines Tages verstehen. Ich glaube, ich bin schon langsam so weit.

Tante Do hatte nie Besuch von Herrn Gegenbauer. Sie hatte ja auch einen Kachelofen. Der war zwar viel älter als unsere Zentralheizung, noch aus der Zeit vor den Zeppelinen. Aber dafür war er auch viel wärmer und nie kaputt. Zusätzlich erfüllte er ja die Funktion des Haustelefons, denn Onkel Pepi konnte von oben sogar detaillierte Speisewünsche durch den Ofen direkt ins Wohnzimmer senden beziehungsweise Informationen über eintreffende Gäste empfangen. Es war völlig üblich, dass entweder Tante Do oder Tante Ria ihren Kopf halb in den Kaminofen steckte, um mit Onkel Pepi drei Stockwerke höher zu sprechen. Diese vormoderne Form der häuslichen Kommunikation betraf auch die Haustür. Auf eine Klingel, wie sie auch in Schlitz an immer mehr Haustüren zu finden ist, hatte Tante Do vernünftigerweise verzichtet. Die Haustür ist zwar immer zu, aber in der Mitte der Tür prangt ein großes Glasfenster, das sich öffnen lässt, so dass man von außen hineingreifen und sich selbst aufmachen kann.

Dieses Fenster hat bei den Eingeborenen den Namen »Schippchen«. Seit meiner frühesten Kindheit begrüßte mich, wenn ich die hässlichen Blautannen passierte, die Onkel Hägar auch hier gepflanzt hatte, und dann die Treppen zur Haustür hinaufstieg, um Fußball zu gucken oder einen Geburtstag zu feiern, kein »Hallo« oder »Wer ist da?« aus dem Innern des Hauses, sondern ein lautes »Das Schippchen ist auf«.

Das galt auch für Tante Dos Garage. Denn die hatte sie einst quasi unter ihr Fachwerkhaus in den Schwarzen Grund geklemmt, als sie noch einen gelben Daf fuhr, ein vorsintflutliches Gefährt aus den Anfängen der Automobilkunst, das Gedanken an Benzinrühren durchaus nachvollziehbar macht. Es war sozusagen eine maßgeschneiderte Garage, denn nachdem der gelbe Daf irgendwann seinen Geist aufgegeben hatte, scheiterten all ihre Versuche, noch einmal einen Kleinwagen zu finden, der genauso kurz war. Seitdem standen die Autos vorn immer etwas raus, selbst der neue Polo. Näherte man sich ihrem Haus, so sah man unten immer das Heck ihres Wagens in der offenen Garagentür und oben stand das Schippchen auf. Bei Tante Do war jeder Tag ein Tag der offenen Tür.

Auch ich will offen sein: Unser Ort hat eine kleine Zeitung, einen kleinen Bademeister und ein großes Problem: seinen Namen. Schlitz. Es ist nicht schön, wenn neue Kollegen oder Zollbeamten verstört zu lachen beginnen, wenn man sagt, woher man kommt. Und doch war also Wilhelm II. hier und auch Hans Eichel. Der eine wurde mit Fanfaren begrüßt, der andere konnte unbehelligt über den Marktplatz laufen und schüttelte, weil ihn niemand erkannte, aufgeschreckten Hausfrauen die Hand und sagte: »Guten Tag, ich bin Ihr Ministerpräsident.« Am Marktplatz gibt es noch immer das Fachwerkhaus, in dem einst Tilly im Dreißigjährigen Krieg übernachtete – in seinem ehemaligen Schlafzimmer ist heute das Kosmetikstudio Kristin. Ansonsten stammen die Sekretärin von Thomas Gottschalk aus Schlitz und die Leinenservietten in der First Class der Lufthansa. Erwähnenswert ist ferner, dass Fritz Wepper Angela geheiratet hat, die schöne Gräfin von Schlitz, genannt von Görtz (dass deren erster Mann, Ferfried von Hohenzollern, auch immer in Schlitz war, lassen wir mal lieber weg, denn er ist jetzt mit Tatjana Gsell zusammen, und ich fände es schön, wenn sie nicht weiter vorkäme in diesem Buch). Angela von Morgen hat Fritz Wepper übrigens in Hollywood geheiratet. Prinz Ferfried schafft es in seiner zweiten Ehe nur bis zu RTL II. Fritz Wepper hat es dennoch nicht leicht in Schlitz. Als er vor kurzem eine Treibjagd mit zweihundertfünfzig Jägern anführte, die nur fünfunddreißig Wildschweine erlegen konnten, kritisierte der *Schlitzer Bote* knallhart:

»Es wurde viel zu viel vorbeigeschossen.« Die Zeiten von Jägerlatein und von Hofberichterstattung sind also leider vorbei, ansonsten ist aber alles wie immer. In der Kirche gibt es direkt neben dem Altar eine eigene Kapelle, von der aus die Grafenfamilie den Gottesdiensten lauscht, die gräfliche Kornbrennerei gibt es seit 1565, und wer will, darf sich für den Eigenbedarf in den gräflichen Wäldern mit dem »Lesholzschein« so viel Holz sammeln, wie er braucht. Macht aber kaum einer mehr. Alle fünf Burgen stehen noch und sind Burgen geblieben, meist mit Altenpflegeheimen drin, nur der Hinterturm, das frühere Gefängnis, wird im Winter in rotes Leinen gehüllt, obendrauf kommt eine Neonröhre, und das Ganze steht im Guinness-Buch der Rekorde als größte Weihnachtskerze der Welt. Damit sind jahrzehntelange Bemühungen endlich ans Ziel gelangt: Zuvor haben die Schlitzer jedes Jahr versucht, die längste Fleischwurst der Welt herzustellen, aber jedes Jahr gab es Holländer, deren Wurst noch ein paar Zentimeter länger war. Und als Zweite kommt man nicht ins Guinness-Buch. Bis heute werden in den zwei Metzgereien die Reste dieses gescheiterten Rekordversuches scheibchenweise an nichts ahnende Kleinkinder verfüttert, die danach von ihren Müttern mit »Na, wie sagt man denn da?« angefunkelt werden. Allein die Kinder meiner Geschwister haben bei ihren weihnachtlichen Heimatbesuchen etwa zweieinhalb Meter davon zu essen bekommen. Zentral

ist ferner, dass 1986 Wim Thoelke zum fünfundzwan-
zigjährigen Jubiläum des Möbelkaufhauses Fend &
Faust eine Tombola moderierte und einmal Gunter
Sachs mit einem Cabriolet durch die Stadt gefahren ist,
vielleicht weil er von der Schönheit der schwarzhaarigen
Sylvia gehört hatte, der Tochter des Arztes, der ein großer Fasanenjäger und mein Patenonkel war. In meiner
Erinnerung war er ein sehr freigebiger Mann, weil er
mir schon als Fünfjährigem bei jedem Besuch zwei Mark
schenkte. Erst viel später habe ich erfahren, dass er sich
die vorher an der Tür manchmal bei meinem Vater ge-
liehen hatte.

Also noch einmal für alle, die später dazugestoßen sind:
Schlitz, das ist eine Brauerei, eine ehemalige Ampel (vor
»Frische Früchte Weller«, inzwischen wieder stillgelegt),
zweitausend Fachwerkhäuser (plus ein Fachwerk-Bus-
haltestellenhäuschen in Hutzdorf), ein wunderschöner
Marktplatz, ein Max-Planck-Institut für Fließgewässerforschung, fünf Burgen und sechzehn Dörfer drum herum, und jede zweite Frau über fünfzig nenne ich Tante.
Der Eissalon heißt »Venezia«, der Friseur »Salon für die
Dame«, die Kirche ist aus dem Jahre 812 und die Pizzeria von 1985. Die einzige Videothek ist schon wieder zu.
Es gibt eine klare Altersgrenze, die das Leben im Ort re-
gelt: Alle unter achtzehn sitzen nachmittags in Bushal-
testellen und alle über achtzehn abends in der Kneipe.

Wer als Mann keinen Schnurrbart und Bierbauch mit sich herumträgt, muss sehr gute Gründe dafür haben. Der Friseursalon Eichenauer ist dafür berühmt, seinen Kunden ab dem sechzehnten Lebensjahr zum Tragen des Schnauzers zu raten, weil das angeblich schlank macht.

Ganz Deutschland ist in der modernen Unübersichtlichkeit angekommen. Ganz Deutschland? Nein. In der Grafschaft Schlitz herrscht noch Zucht und Ordnung: Der Bürgermeister heißt Schäfer (mit besonders schönem Schnauzer). Der erste Stadtrat heißt Schäfer. Der katholische Pfarrer heißt Schäfer. Der Vorsitzende des Schlitzerländer Heimat- und Trachtenvereins heißt Schäfer. Der schwergewichtigste Mann hieß zwar mit Spitznamen Bill Rocky, aber korrekterweise selbstverständlich: Schäfer. Der Busunternehmer heißt Schäfer. Und der Wirt vom »Kurte« in Üllershausen heißt auch Schäfer. Nur der Schäfer heißt Preisendörfer. Natürlich ahne ich, dass mir das niemand glauben wird. Auch nicht, dass der alte Schustermeister Seligmayr neun Komma fünf Dioptrien hatte und deshalb einen riesigen roten Aufkleber auf den hinteren linken Kotflügel seines weißen Autos pappte. Trotz Brille mit frühstücksbrettchenbreiten Gläsern konnte er nämlich nur den roten Fleck im Seitenspiegel erkennen – und so in seiner engen Garage dennoch rückwärts einparken.

Wenn das Rote zu nah an die Wand kam, hielt er an. Ganz einfach. Warum er sich nicht gleich ein ganzes Auto in Rot gekauft hat, ist eine Frage, die mir erst heute kommt, damals bewunderte man ihn für seine Raffinesse. Immer wenn man seine Schusterstube betrat, ging er rasch zu einem Kassettenrekorder in der Ecke und stellte ihn umständlich leiser. Dennoch hörte man auch während Seligmayr fragte, ob man geriffelte oder glatte Plastikabsätze an den Hacken haben wollte, kehlige jaulende Laute aus dem Kassettenrekorder dringen, die sich immer wiederholten und von neuen brummenden unverständlichen Wortfetzen abgelöst wurden. Man fühlte sich wie bei einer fernöstlichen Geisterbeschwörung und nahm jeden Vorschlag zur Besohlung willenlos an. Es waren, so erzählte dann später einmal sein Lehrjunge im Ort herum, die acht Kassetten »Thailändisch für Anfänger«, die er in jeder freien Sekunde hörte, aber weder war er je in seinem Leben in Thailand noch gab es in Schlitz jemand, mit dem er Thailändisch sprechen konnte. Es war also einfach eine echte, sinnlose Passion.

Wahrscheinlich glaubt man mir auch nicht, dass im Altenwohnheim gegenüber Tante Lina lebte, der beim Nähen in ihrer Jugend einmal eine Nadel abbrach. Dieses Nadelstück wanderte seitdem in ihren Adern umher, ein Arzt hatte es eines Tages beim Röntgen entdeckt, sie galt seitdem als medizinisches Wunder. Immer mal wieder kamen Mediziner vorbei und röntgten die Nadel, die durch ihre Adern rauschte, und waren irritiert. Auch mir war sie etwas unheimlich, aber ich guckte trotzdem gerne »Rauchende Colts« bei ihr, wenn Tante Do nicht da war.

Frühling ist bei uns, wenn bei Eisen Adolph die Schaufensterdekoration gewechselt wird. Genau genommen besteht die Dekoration bei Eisen Adolph nur aus einem einzigen Gegenstand. Von November an steht vor dem Eisenwarenladen immer eine Schneeschippe. Und wenn Herr und Frau Eisen Adolph – er blond mit Schnurrbart und Blaumann, sie schwarzhaarig mit Hose und Pulli, Alter von jeher undefinierbar – beschlossen hatten, dass jetzt kein Schnee mehr fallen würde, wurde die Schneeschippe weggeräumt und stattdessen ein Besen vor die Ladentür gestellt. Eisen Adolph ist eigentlich weniger ein Laden als vielmehr ein Wetterhäuschen. Besen oder Schippe – wer braucht da noch Meteorologen? Beziehungsweise: Es gibt kein schlechtes Wetter, es gibt nur das falsche Gerät zum Saubermachen. Und sauber gemacht wird in Schlitz eigentlich permanent. In den Treppenhäusern knien Frauen in Kittelschürzen und wischen, auf den Straßen stehen Männer und Frauen und kehren und kehren und kehren. Samstagnachmittags ziehen die Männer ihre schwarzrot karierten Holzfällerhemden und ihre Schnurrbärte an, schalten im Radio die Bundesligakonferenzschaltung ein und schäumen ihre Opel ein. Danach wird der Restschaum fein säuberlich mit dem Gartenschlauch weggespritzt, aber wenn man ganz still ist, hört man, wie er in den Abflüssen noch ein bisschen knistert. Der Rasen vor dem Haus wird Woche für Woche mit dem Rasenmäher so glatt gehalten, dass man feucht drüberwischen könnte. Aus den Fenstern hängen die Bettlaken, und von drinnen hört man das Brummen der Staubsauger. Und wenn alles sauber ist, geht man zur Fußpflege. Andernorts nennt sich das Frühjahrsputz, aber bei uns wird das ganzjährig durchgeführt, taugt also keinesfalls so präzise zur Jahreszeitbestimmung wie der Besen bei Eisen Adolphs.

Und wenn der Besen da war, dann kamen als Nächstes das Hochwasser und die Zugvögel. Das klassische Frühlingstrio. Der Fluss trat über sein Ufer, schwappte ins Tal, über die Straßen, manchmal blieben am Ende Fische zurück, die nach Luft japsten auf den kahlen Feldern, auf denen sie das Wasser vergessen hatte bei seinem Weg zurück ins Flussbett.

Ich weiß noch, wie ich manchmal mein Rad anhielt auf meinem Weg zur Schule und nur staunend nach oben blickte, wo Hunderte von Vögeln in großen Formationen aus dem Süden zurückkehrten. Erst war es nur ein fernes Grummeln, dann kam es näher, und man sah im dämmrigen Morgenhimmel die langen schwarzen Linien. Wenn die Zugvögel dann schrien und ihr Flügelschlag hundertfach über mich rauschte, war der Frühling endlich nah, ich reckte meinen Kopf noch weiter nach oben, schaute, ob es Gänse waren oder Kraniche, versuchte, nicht an Nils Holgersson zu denken, weil ich dafür längst zu alt war, und sprang dann wieder aufs Rad und fuhr los, weil ich noch die Mathehausaufgaben bei Klaus Turner abschreiben musste, bevor die Schule begann.

Zwanzig Jahre her ist das jetzt, die süße Carina, der ich so gern beim Reiten zusah, hat gerade eine Praxis für Tiermedizin eröffnet, und Sven und Fritjof, mit denen ich aus der Fußball-Kreisliga abstieg, reparieren meiner Mutter die Lampen. Klaus Turner, bei dem ich Mathe abschrieb, ist der neue Revierförster. Fast alle haben sich längst ein Haus gebaut, mit Eigenheimzulage und den Freunden, die an den Wochenenden helfen, das Dach zu decken, mit dem Putz eilt es nicht, hier auf dem Land, der kommt meist erst drauf, wenn die nächste Gehaltserhöhung da ist – oder weiße Farbe im Angebot. Nur Kevin Madsack, der mit den Arschbomben, hat kein Haus, sondern einen Imbiss auf dem Parkplatz vorm Freibad. Dafür muss er sonntags auch keine Dächer decken und Holzplanken schleppen, sondern kann seinen Kindern im Freibad perfekte Sprungtechniken beibringen, bei denen es besonders weit spritzt. Als ich ihn vor kurzem sah, fand ich ihn völlig unverändert, noch immer gab er an wie eine Tüte Mücken. Auch die Narben an meinem rechten Knie, das ich mir im Freibad auf dem Sprungbrett aufschlug, sind die gleichen geblieben, und das Weiß der Fingernägel wächst beim zweiten Finger links, beim kleinen Finger rechts, beim Daumen noch immer genau so in seiner seltsamen individuellen Form wie damals. Vieles hat sich geändert, der Bauchumfang, die Freunde, der Lieblingsverein, der Beruf und der Wohnort, nur die Fingernägelgene (und natürlich die Provinz), die bleiben, ein Raum- und Zeitkontinuum an den Fingerkuppen. Seltsam. Schön. Aber das gehört jetzt eigentlich nicht hierher.

Schlitz ist, aller Kontinuität zum Trotz, manchmal dennoch den Versuchungen der Moderne erlegen. So gab es sogar einmal einen Tennisplatz, aber der ist längst überwuchert von Goldrute und Brombeeren. Der Nachbar, ein vollbärtiger Doktor der Philosophie, hatte erfolgreich dagegen geklagt, dass das Ploppen der Tennisbälle seine Kinder in ihrer Entwicklung zu sehr beeinträchtige. Auch wandelte man, ganz auf der Höhe der Zeit, das Krankenhaus in den neunziger Jahren kurzerhand um in eine großartige Spezialklinik für plastische Chirurgie. Von überall her kamen die Patienten zum viel gepriesenen Arzt. Probleme gab es nur mit der Kundschaft vor Ort. Weil sofort die ganze Stadt durch irgendwelche Kanäle erfuhr, wer sich gerade nach einem Termin für eine Busen-OP erkundigt hatte, war das lokale Interesse an der Klinik für plastische Chirurgie bald bei null. Die Betroffenen hätten auch gleich eine Anzeige im *Schlitzer Boten* aufgeben können – die Wirkung wäre die gleiche gewesen: »Ich bin mit meinem Körper unzufrieden und denke über eine OP nach. Marta Madsacji, Hutzdorf«, beziehungsweise: »Ich kann es nicht mehr ertragen, dass ich wegen meiner Segelohren gehänselt werde. Karl Schiller, Bahnhofstraße.« Das sind die Brutalitäten der Provinz, davor schützt die Anonymität in der Großstadt. Aber im Grunde steht die ständig köchelnde Gerüchteküche durchaus auf dem Boden des örtlichen Grundgesetzes. Denn bis ins neunzehnte Jahrhundert hinein gab es im »Herrschaftlich Schlitzischen Landes- und Gerichtsbrauch« die Denunziationspflicht. Und so etwas, da sind sich alle Kenner der Materie einig, prägt für Generationen. So gibt es bei uns zwar Ärzte, Zahnärzte und Krankengymnasten. Aber keinen Psychotherapeuten. Wenn dort einer hingegangen wäre, wäre es sofort rum gewesen im Ort. Psychotherapeuten gibt es, so schätze ich, erst in Städten ab fünfzehntausend Einwohnern, in Ortschaften von unter fünfzehntausend Einwohnern geht man lieber zum Wirt.

Schlitz ist eine geschlossene Ortschaft. Und in geschlossenen Ortschaften, so lehrte uns Fahrlehrer Beck, muss man runter vom Gas. Das Tempo drosseln. Das war – aus der Perspektive des rollkofferziehenden Großstädters, der Städte, Partner, Arbeitsplätze wechselte – lange ein lähmender Alptraum. Doch langsam ändert sich das, denn warum sollte eigentlich unbedingt der Ortsgebundene der Rückständige sein und nicht der Umherhetzende, so fragt man leicht erschöpft. Waren die Sesshaften den Nomaden nicht immer überlegen?

Wenn ich mir die aktuelle Kandidatenliste der SPD für den Stadtrat ansehe, dann kenne ich von den neununddreißig Kandidaten noch achtunddreißig aus meiner Kindheit, und die eine, die ich erst nicht kannte, kenne ich doch, die hatte nur geheiratet. In Schlitz, so lautet das klassische Klischee, ist die »Zeit stehen geblieben«. Und zwar schon eine halbe Ewigkeit lang. 1891 schrieb die *Illustrierte Zeitung*: »Es dürfte kaum einen Ort im Deutschen Reich geben, der sich seinen mittelalterlichen Charakter als wohlbefestigte Burg und Stadt so getreu erhalten hat wie Schlitz, abgelegen von dem Geräusch der Welt und umgeben von den waldigen Bergen Oberhessens, stellt es ein Stück längst vergessener Geschichte dar.« Und dreißig Jahre später war man kein bisschen weiter. In »Westermanns Monatsheften« wurde 1921 vermeldet: »Schlitz: malerische heile Welt.« Um symbolisch zu verdeutlichen, dass die Zeit stehen geblieben ist, stehen auf dem Ökonomiegebäude von Schloss Hallenburg seit den sechziger Jahren die Zeiger der Turmuhr auf halb fünf. Und das ist schon ein Fortschritt. Bis in die sechziger Jahre nämlich hätten sie auf erst halb zwölf gestanden, erzählte mir Tante Ria, das hatte sich der Regisseur des alten Ufa-Films »Tischlein deck dich« so gewünscht, weil er rund ums Schloss eine Mittagessensszene drehte. Vier Stunden Fortschritt in etwa achtzig Jahren, nicht schlecht.

Zur allgemeinen Orientierung brauchte man Uhren aber ohnehin nie. Samstags um zwölf Uhr heult die Sirene der Feuerwehr, dann gehen alle nach Hause, Linsensuppe mit Fleischwurst essen, und in der Woche gibt es die Glocken des Kirchturms, die täglich um 12 Uhr und um 18 Uhr schlagen. Das reicht eigentlich. Wenn ich heute zu Hause bin und um 18 Uhr die Glocken zu läuten beginnen, dann sehe ich, wie die Menschen schneller laufen, um rechtzeitig in den Essecken aus Eiche zu sein, wie die Kinder ihr Fußballspiel beenden und die Läden mit krachenden Jalousien verschlossen werden. 18 Uhr, das war und ist die zentrale Uhrzeit in der Provinz. Denn dann schlägt die Stunde des Ortsgesprächs. Auch heute, wo alle anderen längst ein Leben führen zwischen Citytarifen, ISDN, Flatrate, Blackberry und Handy-ins-Festnetz-Angeboten, gilt in der

Provinz weiter die Einheit »Ortsgespräch«. Dass etwa Tante Nati seit nunmehr fünfunddreißig Jahren dieselbe dreistellige Telefonnummer hat und Tante Do noch immer im Schwarzen Grund 17 wohnt (so wie auch schon ihre Eltern und ihre Großeltern), ist umso unglaublicher, als mein Freund Marco mir in den letzten drei Jahren ungefähr zehnmal eine neue Nummer mitgeteilt hat und in meinem alten Notizbuch die Liste der durchgestrichenen Adressen und Nummern von Manuel eine ganze Seite füllt. Wenn ich nach Hause komme, will meine Mutter immer, dass ich mindestens eine Tante anrufe, ist doch ein Ortsgespräch, sagt sie dann, als sei der Telefontarif der Grund dafür, dass ich mich bei Tante Marthel und den anderen Tanten seit einem Jahr nicht gemeldet hatte. Das Ortsgespräch ist das letzte Rückzugsgebiet der Provinz. Nicht die Geschwindigkeit zählt, sondern die Nähe. Es ist der Triumph der dreistelligen Telefonnummern. Auch wenn es das Ortsgespräch in seiner ursprünglichen Form bei der Deutschen Telekom längst nicht mehr gibt – ganz egal, in der Provinz lebt es als zentrale Maßeinheit fort, niemand wird dort je den »Optionstarif XXL Local« wählen, der an die Stelle des Ortsgesprächs getreten ist. Und alle haben neben ihrem Telefon auch das dünne weiße Telefonbuch »Das Örtliche« liegen, in dem immer die Namen vom ganzen Kreis drinstehen, damit es nicht zu dünn ist. Zum Ortsgespräch und dem Telefon zu Hause gehört auch der ausgestreckte Arm. Das ist eine seit dem Aufstieg des Handys ganz und gar vergessene Geste, man sieht sie nur noch manchmal in einem alten »Tatort« oder bei »Der Alte«, ich glaube, die Jüngeren wissen gar nicht mehr, wie sie geht. Das Telefon klingelt lange und durchdringend, irgendwann nimmt jemand ab, meldet sich, lauscht – und dann nimmt er den Hörer und streckt den Arm aus. Manchmal wird man laut gerufen. Aber meist ist es nicht nötig. Der ausgestreckte Arm mit dem Hörer in der Hand heißt: Es ist für dich. Manchmal wird das auch dazugesagt, mal freundlich (wenn es ein artiger Anrufer ist und er eine nette Mutter hat), manchmal eher unfreundlich, wenn es das zehnte Mal innerhalb von zwei Stunden ist, dass das Telefon klingelt (und der Anrufer eine zu lange Mähne oder zu bekannte Trinkgewohnheiten hat), dann flüstert der genervte Abnehmer gerne dem gewünschten Gesprächsteilnehmer, der zum Telefon geeilt kommt, noch ein »Ich bin kein Hotel« zu oder ein »Ich bin keine Sekretärin«. Hatte man dann endlich den Hörer mit dem Freund oder der Freundin in Ortsgesprächsnähe selbst in der Hand, begann die nächste Problemstufe. Denn die alten Telefone hatten nur eine begrenzt lange Telefonschnur, deswegen musste ich immer versuchen, die Schnur so anzuspannen, dass ich mich möglichst weit von den anderen entfernen konnte, was dazu führte, dass ich die wirklich wichtigen Gespräche immer in einer absurden Hockhaltung neben dem Schirmständer in unserem Windfang führte. Um Rückenschäden bei ihren Kindern zu vermeiden, wurde dann von meinen Eltern tatsächlich eine verlängerte Schnur gekauft, was aber dazu führte, dass man Monat für Monat für den einen Meter Zusatzkabel eine lächerlich hohe Miete an die Deutsche Post zahlen musste. Die Erfindung der schnurlosen Telefone und ihres Enkelkinds, des Handys, brachten also tatsächlich hohe Zugewinne an Privatsphäre, die ich eigentlich sehr gerne erlebt hätte, bevor die schnurvolle Zeit zu Hause und in den WGs zu Ende gegangen war. Wenn man sich dann in seine Ecke verkrümelt hatte, das Telefon im Schoß und in der Hand einen Pott Kaffee, konnte die Telefonsession beginnen. Vielleicht war das Laufen mit dem Telefonkabel in der Hand, das man bis auf seine maximale Ausdehnung lang zog, um ungestört zu telefonieren, der Anfang der nächsten Stufe der menschlichen Entwicklung. Inzwischen ist es dem modernen Großstädter ja möglich, im Laufen zu telefonieren und dabei noch Kaffee zu trinken.

In der Provinz stellt man sich nur dann auf neue Gegebenheiten ein, wenn die alten unwiederbringlich verloren sind. Solange man sie noch aufrechterhalten kann, tut man es. Und mit dem Neuen geht man auch erst einmal so um, als sei es das Alte. So wie es früher schön war, wenn man morgens im kalten Schlitzer Schloss noch ein bisschen Glut im Ofen hatte, so ließ das Zimmermädchen auch das erste elektrische Bügeleisen über Nacht an, weil sie hoffte, morgens gleich weiterbügeln zu können. Sie konnte dann leider nicht. Weil morgens das Schloss weg war. Abgebrannt. Man musste es neu aufbauen. Wann das genau war, weiß ich nicht mehr. Tante Ria hat es mir zwar früher immer erzählt, aber damals hörte ich nicht hin, wie eigentlich bei all den Familien- und Heimatgeschichten, die einen langweilen, wenn man noch so tief in der Familie und in der Heimat steckt, und an die man sich dann leider nicht mehr richtig erinnern kann, zwanzig Jahre später, in Frankreich, spätnachmittags im Café, wenn man der Freundin schöne Geschichten von früher und von daheim erzählen will. Dann ärgert man sich. Aber meist traut man sich dann nicht mehr, Tante Ria zu fragen. Hallo, Tante Ria, ich stehe hier gerade in Aixen-Provence, um mich herum Lavendel und andere Deutsche, die die Romantik in Südfrankreich suchen, aber sag mal, wie war das noch mal genau mit dem Bügeleisen und dem Schloss? Und meist ist die betreffende Tante dann irgendwann nicht mehr am Leben und ihre dreistellige Nummer und ihr Wissen um die Vergangenheit ebenfalls.

Nun wohnte jedenfalls kein Graf mehr dort in diesem eines Nachts abgebrannten Schloss, die letzte Gräfin, die noch lebte, sah man nur sonntags in der Kirche, aber ansonsten zog sie sich zurück in ihr Haus. Die Wiese in ihrem Garten hatte sie angeblich in eine riesige Spielzeugeisenbahn verwandelt, die man sehen konnte, wenn man die Zweige der ausgetrockneten Tannenhecke ein bisschen zur Seite schob. Ich glaube, ich muss nicht erwähnen, dass auch diese Hecke von Onkel Hägar gepflanzt wurde.

Die Grafenfamilie musste aus ihrem Stammsitz weichen, weil die Russen kamen, beziehungsweise die Amerikaner. So geht ja auch, kurz gefasst, die deutsche Geschichte des zwanzigsten Jahrhunderts. In Schlitz ist es etwas komplizierter: Wenn keine Amerikaner da waren, die sich mit immer neuen Manövern und Panzern darauf vorbereiteten, dass leider genau hier bald die Russen einmarschieren könnten, war das Schloss von Antikriegsfestivals mit Beschlag belegt. Die Senke in den Tälern eines Gebirgszuges, durch den sich die Fulda ihren Weg gebahnt hatte, so dass von Thüringen bis in den Westen Deutschlands eine Art lang gestreckter flacher Korridor entstanden war, hieß und heißt »Fulda Gap«, ein klassisches Aufmarschgebiet. Napoleon zog hier bei seinem Rückzug aus Russland durch, und General Patton nutzte das Gelände, um 1945 die Wehrmacht zurückzuwerfen. Deswegen waren die Amerikaner ständig da, um jederzeit die Russen zurückwerfen zu können. Bis heute haben die Landstraßen vor den Brücken drei Gullys, von denen man sich gern erzählte, dass da die Minen drinlagen, um die Straßen zu sprengen, wenn die Russen angerattert kämen. Einmal wollten die Amerikaner sogar eine riesige Kaserne bauen auf dem Eisenberg und in den Wäldern um Schlitz, es war eigentlich schon alles unter Dach und Fach. Doch dann stand der ganze Ort auf wie ein Mann und wehrte sich: »Rettet den Eisenberg«, riefen die Schlitzer und machten Mahnfeuer Nacht für Nacht, bis die Amerikaner irgendwann entnervt aufgaben.

Es war in Schlitz wie beim Wetterhäuschen Eisen Adolph – entweder Besen oder Schippe. Ein Wochenende amerikanische GIs, mit denen ich Obst gegen Konserven und Nüsse gegen Armeeunterhemden tauschte. Das nächste Wochenende »Lieder im Park« mit Klaus Lage, Wolf Mahn, Ina Deter und Wolf Biermann. Bei denen gab es nur Autogramme zu holen, also ging ich zu Wolf Biermann, der mir auf ein Foto schrieb: »Florian, werde bloß keiner von diesen Autogrammjägern.« Das fand ich damals doof, später originell, inzwischen wieder doof, weil ich entdeckt habe, dass bei Ebay sechzehn Autogrammkarten von Biermann angeboten werden, die alle denselben Spruch drauf haben.

Sowohl die amerikanischen Soldaten als auch die deutschen Liedermacher sind der chinesischen Tapete im ersten Stock nicht gut bekommen. Sie war der einzige Teil der Innenausstattung, der nicht rausgeräumt oder versteigert werden konnte, als die Grafen aus dem Schloss auszogen. Sie hatte der weltreisende Graf Anfang des neunzehnten Jahrhunderts aus China mitgebracht. Er hatte auch unzählige seltsame Bäume mitgebracht, von denen die meisten den ersten Schlitzer Winter nicht überlebten, die anderen aber, die das geschafft hatten, kannten kein Halten mehr. So wuchs im Schlosspark irgendwann der größte Magnolienbaum Europas, aber damals gab es leider noch kein Guinness-Buch der Rekorde, und heute ist er tot. Die chinesische Tapete wurde dann sehr lange sehr aufwändig restauriert, es gab immer neue Studien und Artikel in der Heimatzeitung, angeblich war es – so konnte die Schmach der erfrorenen Magnolie getilgt werden – die größte frei lebende alte chinesische Tapete Europas. Schlitz war darauf mindestens so stolz wie auf Fritz Wepper und die Leinenweberei. Darum war die Begeisterung groß, als jetzt erstmals eine chinesische Delegation das Schloss besuchte. Inzwischen sind sowohl die amerikanischen Soldaten als auch die deutschen Liedermacher aus dem Schlitzerland verschwunden, deswegen ist aus dem Schloss etwas Großartiges geworden: eine Landesmusikakademie. Und weil die Chinesen nicht wissen, wohin mit all ihren Geigerinnen, werden nun dreißig Geigerinnen für ein halbes Jahr im Schloss geigen. Für so viele Chinesinnen gibt es in Schlitz gar keine Hotelzimmer, deswegen werden sie in Ferienwohnungen wohnen, was der fürsorgliche *Schlitzer Bote* auch für die beste Lösung hält: »Sie können sich also ihr gewohntes Essen selbst kochen und kommen dazu beim Einkaufen in Kontakt mit den Schlitzern. Chinesen gelten allgemein als lebenslustige Menschen.« Na dann. Fast hatte man geglaubt, dass die Stadt der Globalisierung doch noch einmal eine Chance geben würde. Doch dann besuchte eines Tages die chinesische Delegation das Zimmer mit der chinesischen Tapete. Der Bürgermeister mit seinem Kaiser-Wilhelm-Bart hob erwartungsvoll seine Stimme, deutsche Geigerinnen spielten zur Begrüßung Rachmaninows »Liebesleid – Liebesfreud«. Und plötzlich erstarrten alle. Denn die chinesische Tapete ließ die Chinesen von der Mianyang-Universität aus Sichuan relativ unbeeindruckt. Ein wenig pikiert sagten sie: »Oh, that is Japanese style«. Diese leichtfertige Bemerkung hatte für das Selbstbewusstsein der Schlitzer kurzzeitig eine ähnlich verheerende psychologische Wirkung wie die Pleite der Swissair für die Schweiz. Aber gut. Man konnte sich zum Beispiel daran aufrichten, dass die TSG Slitisa Schlitz 1987 mit 11,45 Metern den achten Platz bei den hessischen Hallenmeisterschaften im Kugelstoßen der Frauen errungen hat.

2. Kapitel
Freilandhaltung

In welchem naturnah erzählt wird, wie
sehr man sich in der fernen Stadt
nach der Ruhe, dem Hahnenschrei und
der frischen Landluft sehnt
und warum man dann trotzdem nicht
wieder abreist, wenn es dort in Wahrheit
nach Jauche riecht und man Motorsägen
kreischen hört. Nebst einem
Lobgesang auf Traktoren, die Baggerseen,
die Apfelernte und Johannisbeeren,
die im Mund kollern wie die Lottokugeln.
Plus: Worauf beim Angeln von Hechten
zu achten ist.

Dieses kurze Schaudern, wenn ich eine Rispe roter Johannisbeeren in den Mund nahm, die Spitze mit den Fingern festhielt und sie dann mit einem kurzen Ruck durch die Schneidezähne zog, so dass die Beeren im Mund herumkollerten wie die Kugeln der Lottozahlen – und dann, beim Zubeißen, eine Hundertstelsekunde lang dieser schrecklich herrliche, saure Geschmack. Ich lag auf der Wiese hinterm Haus, am Waldrand bei den Beerenbüschen, und die Sonne stand schon recht tief, nur ganz oben, auf den Blättern der Krone der riesigen Kastanie, schimmerte noch warmes Sonnenlicht, die Rinde der alten Kiefer leuchtete rot und erinnerte mich noch nicht an das, woran einen dann später Kiefernstämme im Abendlicht immer erinnern: an die mecklenburgischen Seen, ans Mittelmeer.

Ganz oben zog ein Flugzeug seine weißen Ackerfurchen durchs Blau, es kam von ganz weit weg, und es flog ganz weit weg, es kreiste schon den halben Tag über der Provinz und ignorierte sie doch, um am Ende in einer schnöden Großstadt zu landen. Es war, wie ich dann später begriff, eines der Flugzeuge, die wieder einmal

Warteschleifen fliegen mussten, weil der Frankfurter Flughafen zu voll war. So nah, so weit war die große Stadt.

Vom Freibad hinterm Wald drangen ein paar letzte Schreie nach oben, ein lautes Platschen im Fünfer-Becken, dann kam die Durchsage von Bademeister Schorschi, Achtung, Achtung, die Badeanstalt schließt in zehn Minuten, bitte kommen Sie aus dem Wasser. Auf dem abgestorbenen Ast in der Kiefer fing die Amsel wieder an zu singen, sie wartete immer auf Schorschis sonoren Lautsprecherbass. Dann legte sie los. Und wie immer Ende August sang sie so traurig, als drohe eventuell heute Abend, noch vor der »Tagesschau«, der Weltuntergang.

Nebenan, hinter der hohen Blautannenhecke, hörte ich, wie allmählich die Nachbarn in ihre Schrebergärten kamen. Leider waren und sind Blautannen nicht als Sichtschutzhecken geeignet, aber Onkel Hägar war zeitlebens von einer großen Liebe zu Nadelbäumen erfüllt gewesen. Ansonsten trug er Tag für Tag ein Fellwams über seinen Kleidern, hatte graues Haar und einen Hühnerstall, an den er rundherum Felle von toten Füchsen gehängt hatte – damit die wissen, wie es ihnen ergeht, wenn sie sich dem Stall nähern, sagte er dann und lachte durch die Zähne, die er noch hatte.

Wo immer Onkel Hägar konnte, nahm er seinen mittelalterlichen Pflug zur Hand, wälzte die Erde um und pflanzte neue Nadelbäume, und wer, wie meine Eltern, bei ihm eine Buchenhecke bestellte, musste irgendwann kapitulieren und eine Nadelhecke akzeptieren. Er sagte dann immer, wenn wir Buchen wollten, müssten wir noch sehr lange warten. Nadelbäume hingegen könne er sehr rasch liefern. Und dann schwärmte er uns vor von dem Duft und dem Grün der Thujenhecken. Doch gäbe es ausgerechnet in unserem Fall bei der Thujafirma leider gerade Lieferschwierigkeiten. Und so pflanzte Onkel Hägar kurzerhand eine Blautannenhecke. Damals mag das ganz nett ausgesehen haben, aber jetzt steht ein Stamm zwanzig Zentimeter neben dem anderen, und bis in eine Höhe von fast zwei Metern ist alles trocken, kahl und grottenhässlich. »Aber oben sieht's dafür doch grün aus«, hielt Onkel Hägar gern trotzig dagegen.

Unten jedenfalls, wo es nicht grün war, drangen die Geräusche aus den benachbarten Schrebergärten besonders gut herüber. Erst kam Frau Tolmin, die ehemalige Lehrerin meiner Schwester, dann auch Herr Gaul, der dem Golf meiner Mutter bis heute die Winterreifen aufzieht. Sie unterhielten sich über die Heizölpreise. Das ist ja der alte Gassenhauer auf dem Land. Wenn schon alles gesagt ist, dann kann man sich immer noch über die

Heizölpreise unterhalten und darüber, ob sie wohl weiter steigen oder fallen werden. Als das geklärt war, sprachen die beiden noch über die Schnecken auf dem Salat und über den »Tatort« gestern. Das hätte ich nie gedacht, dass die den umgebracht hat, so hörte ich es durch die dichten Blautannennadeln reden, aber gucken Sie mal hier, wieder Schnecken, und dann ließen sie das Wasser aus dem Hahn mit fettem Strahl in ihre quietschgrünen Plastikgießkannen brettern.

Es entstand so viel montagabendliche Geschäftigkeit dort drüben hinter der traurigen, halb vertrockneten Blautannenhecke, dass ich keine Freude mehr hatte an der Faulenzerei. Oben verflüchtigten sich die weißen Spuren, die das Flugzeug im Himmel hinterlassen hatte, von der Wiese stieg ganz langsam und unmerklich die nächtliche Feuchtigkeit auf, meine Bermuda war am Po schon ein bisschen nass. Es war ohnehin Zeit, aufzustehen und aufs Rad zu steigen. Ich war leider noch nicht in dem Alter, in dem ich um diese Uhrzeit in die Kneipe gehen oder Frauen besuchen hätte können. Das Einzige, was für mich damals zu holen war, war Milch.

Wenn ich faul war, fuhr ich den großen Bogen um den Berg herum, den ganzen langen Grotersbacherweg entlang, doch diese Route barg zwei Probleme. Das erste war, dass man vor Langeweile einschlafen konnte, weil man links und rechts an sage und schreibe achtundsechzig Häusern vorbeifuhr, die exakt gleich aussahen, Spitzdach über vier Fenstern, davor Rosen, Petersilie und eine Regentonne, dann ein gut gemähtes Stück Wiese, neben dem Gartentor ein schmiedeeisernes Rohr mit dem Wort »Zeitung« in goldener Schreibschrift und auf der Straße ein Opel – zwanzig Meter weiter dann dasselbe in Grün. Ein Eigenheimzulagenparadies. Das zweite Problem war, dass ich darin meine Eva nicht finden konnte. Denn die wunderschöne Babsi, die anstelle einer Schlange einen dicken Dackel mit sich führte, ging aus Gründen, die nur sie kannte, nie den Grotersbacherweg entlang.

So entschied ich mich diesmal für die Bergetappe. Ich stieg in die Eisen, und fünfzig Meter weiter, oben auf der Bergkuppe, als ich mich japsend wieder auf den Sattel setzte, blitzte links das Pfarrhaus des lustigen katholischen Pastors in der Abendsonne. Weil er so stark Zucker hatte, leuchtete sein Kopf immer sehr rot. Und wenn die Sonne schien, sah man nie seine Augen, weil er eine dieser legendären Brillen hatte, die sich bei Sonneneinstrahlung verdunkeln. Es ist ein ganz eigener Menschenstamm, der diese Brillen trägt, ich glaube, es sind immer Männer, denen die Brille auch nach dem Studium noch immer von ihren Müttern ausgesucht wird. Denn nur Mütter halten es für eine entscheidende Kategorie beim Brillenkauf, dass etwas »praktisch« ist. Pastor Kuchatschik jedenfalls bereitete ab dem Sommer seine sehr lustigen Schüttelreime für die Büttenreden zur Pfarrfastnacht vor – er hatte starke Konkurrenz, denn der evangelische Theologiestudent bei der städtischen Fremdensitzung war auch sehr gut, wurde dafür oder trotzdem später sogar zum Dekan ernannt.

Pastor Kuchatschik jedenfalls stand abends meist winkend hinter verdunkelten Gläsern neben seiner fröhlichen Schwester im Garten und wollte einem Kulis schenken, auf denen seine dreistellige Telefonnummer auftauchte, wenn man zweimal kräftig drückte. Offenbar eine besonders offensive Form der Beichtwerbung. Glücklicherweise war ich auch an diesem Abend evangelisch.

Nach den großen Lärchen bog ich rechts ein und legte mich möglichst weit in die Kurve, um cool auszusehen, wenn ich in die Straße kam, in der Babsis Familie wohnte. Da schepperte es plötzlich in die abendliche Stille hinein. Ich hielt mühsam an und versuchte, beide Beine auf den Boden zu bekommen. Wie so oft war mir beim zu schnellen Einbiegen die Milchkanne hinterm Fahrradsitz aus der Drahtklemme gerutscht und auf die Straße gefallen. Ich kannte das Spiel. Nachdem mir das aber erst in der Woche davor mit einer vollen Kanne Milch passiert war, vor den Augen eines dankbaren Zuschauerkreises auf dem Bürgersteig, war ich fast dankbar, dass sie diesmal noch leer war. Als ich gerade die Kanne vom Boden hob, sah ich, wie zehn Meter entfernt der dicke Dackel um die Ecke bog. Er hatte glattes Fell, war sehr rund und wackelte bei jedem Schritt hin und her wie ein angeleintes Ruderboot, wenn die großen Wellen von den Fähren herüberschwappen. Ich nahm Haltung an und versuchte, mir mit Spucke die Haare schnell schmissig aus der Stirn zu kämmen. Noch immer war nur der Wackel-Dackel plus fünf Meter Leine hinter ihm zu sehen. Dann endlich hatte die Leine ein Ende und ein Frauchen. Es war Babsis Mutter. Na bravo. Ich grüßte kurz, stieg aufs Rad und fuhr weiter zum Bauernhof. Ich rechnete kurz nach: An den etwa dreihundert Tagen, an denen ich zuletzt Milch mit dem Rad geholt hatte, war ich ein einziges Mal Babsi mit dem Dackel begegnet, zweihundertsechsundneunzig Mal niemandem, einmal ihrem Vater, zweimal ihrer hübschen Mutter. Das war eine sehr miese Bilanz. Ich war mir irgendwie nicht mehr sicher, ob das Milchholen tatsächlich auf direktem Weg zu einer Heirat führen würde.

Milchholen, das klingt so, wie Heimat auf dem Land klingen soll. Das klingt wie Hahnenschrei und Morgentau. Wenn man heute, nach seinem ersten Groß-stadtjahrzehnt, ans Land denkt, dann denkt man an Ruhe, an frische Luft und an Eier von Hühnern, die zum Frühstück saftigen Löwenzahn fressen. Doch ehrlicherweise muss man sagen, dass es dort eigentlich nie still war. Über das Kopfsteinpflaster trabten keine Haflingergespanne, sondern dröhnten Mopeds und aufgetunte Opel Mantas, und wenn die um die Ecke waren, fingen die Hunde zu kläffen an. Die frische Luft roch nach Dung und, bei uns zumindest, zusätzlich freitags nach dem Malz der Brauerei, und den Hahn hörte man nur, wenn er die verdreckten Hühner auf dem löwenzahnlosen Hof zur Liebe zwingen wollte. Es war ihm wohl selbst zu klischeehaft, morgens extra fürs Krähen früher aufzustehen. Niemand sehnte sich nach Ruhe und Naturprodukten, alle nach Aldi und Computerspielen. Statt über Abgeschiedenheit hätten wir uns weit mehr über ein Kino gefreut. Und ich kann auch nicht sagen, dass ich damals irgendwie ahnen konnte, dass mir das allabendliche Milchholen zwanzig Jahre später einmal Romantik-Pluspunkte bringen würde. Die Stimmung kippt heute übrigens immer spätestens dann, wenn ich erzähle, dass ich deshalb immer erst so spät am Abend zum Milchholen radelte, weil ich hoffte, dass dann die Milch nicht mehr ganz so eklig euterwarm war.

Als ich letzte Woche zu Hause war, ging ich mit meiner Mutter und meinem älteren Bruder spazieren, wir liefen durch die Au, eine herrliche, lang gestreckte Wiese, durch die sich der Fluss schlängelt und schleicht, an seinem Ufer hängen die Erlen und die Weiden ins Wasser, und am Rand der Wiese wohnt der Schäfer Preisendörfer mit seinen Schafen und seinen Pferden. Hunderte Male bin ich diesen Weg gegangen, ich weiß, wo die großen Pfützen sind, die auch im August nicht versickern, und wo der Rotdornstrauch steht, in dem immer die Heere von Spatzen sitzen. Oben in der Luft ein Habicht, der dann später wie immer auf dem Strommast saß. Aber es war wohl gar nicht der, an den ich mich erinnerte, sondern eher dessen Enkel, dem die Großeltern einst den Strommast gezeigt hatten.

Wir gingen an einer Stelle vorbei, an der ich einmal gelegen hatte, versteckt im hohen Gras, mit einer Angebeteten. Wir konnten den Himmel sehen, aber keiner uns, wie ich zumindest glaubte – und sie glauben machte. Wir küssten uns – und dann gingen wir nach Hause, ich machte meine Mathe-Hausaufgaben, und sie verlobte sich wenig später mit einem freundlichen Im- und Exportkaufmann. Wenn ich durch die Au gehe, muss ich manchmal an sie denken und an die vielleicht aus Schweden importierten Sommersprossen auf ihrer Nase. Doch jetzt ging ich ja gerade mit meinem Bruder und mit meiner Mutter, und deshalb sprach ich über weniger verfängliche Dinge. Uns waren zwei Menschen mit Nordic-Walking-Stöcken begegnet, die ich nicht kannte (Das waren Feriengäste aus Bad Nenndorf, raunte meine Mutter, die kommen seit Jahren, sind angeblich esoterisch angehaucht), und dann eine Mutter mit schwarzem Jeep, die wohl ihre Tochter zum Reiten brachte. Ich hoffte, die Tochter zu kennen, was jedoch, wie mir ein paar Schritte weiter beim Nachrechnen klar wurde, ein frommer Wunsch war, denn ich konnte höchstens noch die Mutter gekannt haben.

Es war Sommer, so wie damals, als ich unter den Johannisbeersträuchern gelegen hatte, über der Wiese schwebte die warme Luft wie eine Federdecke, und wenn man ganz ruhig war, hörte man den Fluss, wie er hinten am Wehr über die Brüstung rauschte. Doch da meine Mutter und mein Bruder nie ruhig sind, hörte man den Fluss natürlich nicht. Als wir über die Rumpelbrücke gingen – die konsequenterweise so heißt, weil sie aus losen Brettern besteht und bei jedem Fußgänger oder Wagen, der sie überquert, so laut rumpelt, dass wir es bis zu uns in den Garten hören können –, kam uns ein dicker Dackel an einer langen Leine entgegen. Ich erkannte ihn sofort. Es war Babsis Dackel. Und zum zweiten Mal in meinem Leben war es Babsi, die das andere Ende der Hundeleine in der einen Hand hielt. Mit der anderen schob sie einen Kinderwagen. Das zweite schon, wie mir meine Mutter später sagte. Wir schauten uns an, irritiert, erkannten uns erst im Vorbeigehen, dann ein kurzes Lachen, ein »Ich hätte dich kaum erkannt«, und zogen weiter, sie nach Süden, wir nach Norden, als gäbe es ein stilles Einverständnis, dass jeder die Erinnerungen für sich behalten wollte, das Tischtennisspielen im Garten, das Schaudern, als man sich zufällig berührte, wenn man gemeinsam den weißen Ball unter den Hecken suchte, an den einen Kuss auf dem Ruderboot im Zippel-Teich, damals, vor fast fünfundzwanzig Jahren. Der Kinderwagen und der dicke Dackel (vielleicht auch ein Enkel des alten dicken Großvaters) zogen sie fort. Ein Grund übrigens, warum Klassentreffen einen so melancholisch machen, ist, dass man da nicht einfach weiterlaufen kann, wenn die Wirklichkeit die Erinnerung anzukratzen droht, sondern man noch ein Weizenbier miteinander trinken muss.

Der Zippel-Teich meiner Erinnerung hieß so, weil er Herrn Zippel gehörte, und er existierte allein deswegen, damit darin Karpfen dick wurden und am Jahresende durch die primitive Methode des Wasserablassens gefangen wurden. Das ergab jeden Herbst eine Fangquote von einhundert Prozent – und brachte ihm und seinen

Kunden die Verachtung von Peter Mühlacker ein, dem Fischer am Pfordter See, doch zu ihm und seinen Hechten kommen wir noch. Herr Zippel jedenfalls zog einfach auf der einen Seite des Teichs den Stöpsel raus und spannte ein Netz über den Abfluss. Jedes Mal tauchten darin auch zahllose Goldfische auf, und im *Schlitzer Boten* erschienen dann mahnende Artikel an die heimischen Teichbesitzer, künftig nicht einfach ihre Goldfische bei Zippels im Teich zu entsorgen. Dass vor dem feierlichen Ablassen junge Pubertierende in Ruderbooten sich auf dem handballfeldgroßen Karpfenteich küssten oder zu küssen versuchten, war nur eine geduldete, weil lukrative Folgeerscheinung des Fischhandels – eine Stunde Bootsfahrt kostete drei Mark. Über den Köpfen der feisten Karpfen stiegen damals Böbbi und ich mit Susi und Babsi in ein Ruderboot. Wie sich Klein Fritzchen halt Romantik vorstellt. Da wir beide nicht wussten, wie man den ersten Kuss ankündigt, die Stunde Bootsfahrt aber fast schon um war und Herr Zippel am Ufer unruhig guckte, tippte ich Babsi einfach auf die Schulter, sie drehte sich um, dann drückte ich ihr meine Lippen auf den Mund. Böbbi auf der Rückbank machte es mit Susi genauso (es könnte, ehrlich gesagt, auch sein, dass in Wahrheit er der Coole war und den Anfang gemacht hat). Danach ruderten wir zurück zum Steg, wo Herr Zippel knurrte. Wir kicherten alle etwas, als wir ausstiegen, und Böbbi und ich waren erleichtert, dass wir das jetzt hinter uns hatten und wieder zu Hause mit Playmobilfiguren die besten Spielzüge vom letzten Bundesligasamstag nachstellen konnten.

Als ich ein paar Tage später Kevin Ortner in der Kabine beim Fußballtraining von Babsi erzählte, da schaute er kennerhaft und sagte: »Kein schlechter Geschmack. Aber die muss noch ein paar Jahre auf die Weide.« Mir war nicht ganz klar, was er damit meinte, aber da er sich schon das Brusthaar rasierte und nach dem Training, wenn er aus den Duschen kam, immer diesen typisch breitbeinigen, präpotenten Adiletten-Gang draufhatte, glaubte ich ihm mal lieber. Im Nachhinein bin ich mir ehrlich gesagt auch nicht sicher, ob es den Kuss wirklich gegeben hat, ja, ob sich der ganze Minnesang jener frühen Zeit überhaupt gelohnt hätte. Die Mädchen waren in einem schwierigen Alter, denn sie hatten gerade erstmals ihre Hände frei – die Zeiten, in denen sie Puppen mit sich herumtrugen, deren linke Augenlider immer Karl Dall nacheiferten und zuklappten, waren gerade vorbei, und die, in denen sie permanent Plastikflaschen mit stillem französischem Mineralwasser mit sich herumtrugen, waren noch nicht gekommen. Und nun schoben sie also schon Kinderwagen. Da hat man als Mann kaum eine Chance.

Heimat merkt man sich offenbar so: am Geschmack der Johannisbeeren, am Geräusch des Wassers, das in der abendlichen Sommermelancholie in die Gießkanne des Nachbarn knattert, und am gelangweilten Habicht in der Luft. Es gibt das wunderbare Gedicht von Brecht, »Erinnerung an die Marie A.«, wir nahmen es in der elften Klasse bei Herrn Witzel durch, und ich verstand es nicht. An die Küsse der Marie kann Brecht sich nicht mehr erinnern, nur an die Wolke, die im Moment des Kusses an ihnen vorüberzog. Ja, spinnt denn der Brecht?, fragte ich mich damals. Es hat ein bisschen gedauert, bis auch ich mich nur noch an die Wolken erinnere, die Habichte, das Gras in der Au – und eben nicht an Babsi.

Man muss schon sehr aufpassen, dass man da nicht zu gefühlsduselig wird. Dagegen hilft entweder, wie Brecht Kommunist zu werden und in die DDR einzureisen. Oder aber man hört Element of Crime und ihr Heimatlied mit dem schönen Titel »Delmenhorst«: »Hinter Huchting ist ein Graben/Der in die Ochtum sich ergießt/Und dann kommt gleich Getränke Hoffmann/Sag Bescheid, wenn du mich liebst.« Schützt ländlicher Lokalpatriotismus also sogar vor Liebeskummer?

Ich bin mir da nicht so sicher. Eher umgekehrt. Denn in jedem Fall ist es so, dass Liebesfreud fast zwangsläufig Stadtflucht nach sich zieht – vor allem bei der Hochzeit. Wer nicht zu einer Hochzeit »aufs Land« einlädt, also irgendwohin in der Nähe der Geburtsorte von Braut und Bräutigam oder einfach irgendwo in der Prärie, weil dort ein schönes Hotel und eine schöne Kirche stehen, der muss sich von seinen Freunden vorwerfen lassen, dass er total unromantisch sei. Liebe ist, wenn es Landliebe ist. So lernen die meisten mit Anfang dreißig an den Mai- und Juniwochenenden noch einmal die deutsche Provinz kennen: Ich erinnere mich mit Grauen an Traugottesdienste mit einer friedensbewegten Pfarrerin mit Kurzhaarschnitt in der Nähe von Lüchow-Dannenberg, die statt von Jesus und seinen Jüngern von Jesus und seinen Kumpels redete. Und ich erinnere mich an all die Landgasthöfe bei Sonthofen, Rheda-Wiedenbrück und Helmstedt, wo man noch einen »Beherbergungsschein« ausfüllen musste und vergoldete Türschlüssel bekam, die aus ungeklärten Gründen immer ein goldenes, pilzartiges Anhängerteil mit rundem schwarzem Gummi obenrum dranhängen haben, das genauso viel wiegt wie das Hochzeitsgeschenk. Und natürlich lernt man die Provinz immer dann besonders gut kennen, wenn man samstagnachmittags, die Glocken läuten schon, den kleinen Ort hektisch auf der Suche nach der alten Kirche durchfährt und stattdessen immer nur auf Getränke Hoffmann, ein nagelneues Feuerwehrgerätehaus und ältere Männer mit kalter Zigarre im Mund und gelangweilt trottendem Hund an der Leine trifft. Irgendwann aber wird man fündig, darf dann doch noch die Hochzeit erleben und einen Tag mit maigrünen Bäumen, saukaltem altem Gemäuer, mit knirschendem Kies, mit wohligem Abstand zur Stadt, ein herrliches Funkloch. Dann, nach dem Kater-frühstück am Sonntagnachmittag, fährt man wieder übers Land, immer dem Schild mit dem blauen Pfeil nach, und landet auf der blauen Autobahn, also auf sicherem Terrain, man macht das Handy wieder an, und die Landstraße mit ihren gelben Schildern und die Stra-ßen, die B soundso heißen, sind einstweilen wieder Nie-mandsland.

Mit diesen Feiern (und natürlich der jodelnden Werbung für Deutschländer-Würste und Weizenbier) wurde langsam die Sehnsucht nach dem Land und der Provinz geweckt, ja, so fiel mir erst einmal auf, wie viel Land Deutschland eigentlich ist und wie viel Natur. Und offenbar war ich da nicht der Einzige. Fast jedes Jahrzehnt haben die Deutschen in der Nachkriegszeit mit Inbrunst ein unbekanntes, fernes Land entdeckt: In den fünfziger Jahren war es Italien, dann folgte Frank-reich, dann kam Mallorca, danach Bali und die Domi-nikanische Republik – und jetzt ist es eben das deutsche Hinterland. Für jedes Jahrzehnt und jedes Fernweh gab es auch immer das passende Auto. Kein Wunder, dass es Anfang des einundzwanzigsten Jahrhunderts plötzlich auf allen Straßen von viel zu großen Land Rovern nur so wimmelte, die sichtbaren Zeichen für die Sehnsucht nach dem Land – oder, besser gesagt: für die Sehnsucht nach der Sehnsucht nach dem Land.

Der wichtigste Ort, an dem uns jeden Tag vor Augen geführt wird, wie lächerlich unwichtig Großstädte und Autobahnen und Flugverbindungen sind, ist das Wetterstudio nach der »Tagesschau«. Irgendwann musste das Wirkung zeigen. Weil Wolken nun mal keine politischen oder künstlichen Grenzen kennen, sondern nur natürliche, ist dort von der »Uckermark« die Rede, wo es heiß werden wird, von der »Altmark«, wo es regnen soll, von einer »Linie vom Spreewald bis zum Rothaargebirge«, oberhalb deren es sonnig sein wird, und von höherer Regenwahrscheinlichkeit westlich der Oder. Wo war jetzt noch mal schnell die Altmark? Kaum fragt man sich das, redet der Sprecher schon von der »Lausitz« und verkündet einen Kälteeinbruch im »Eichsfeld«. Die Wettervorhersage ist die wichtigste Heimatkunde Deutschlands. Rothaargebirge und Kaiserstuhl, Usedom und Weserbergland, Odenwald und Hunsrück – hier ist das Land noch aufgeteilt nach Regionen und Gebirgen, nach Flüssen und nach Seen. Ich erinnere mich an diese Namen (zumindest an die der Landstriche im Westen), weil wir sie im Geografieunterricht auswendig lernen mussten und weil unsere Lehrer dahin immer die Klassenfahrten machen wollten, wogegen wir uns dann oft lange mit Händen und Füßen wehrten. Statt eine Linie südlich vom Spreewald bis zum Rothaargebirge wollten wir lieber einen Linienflug nach Südeuropa. Die ideale Verbindung von der Wetterkarte, die sich tief in die deutsche Erdkruste eingräbt, zu weiteren Fernsehprogrammen gelingt am Sonntagabend. Denn die detaillierte Kenntnis von Schrullen und Eigenheiten der Provinz rund um Lüneburg, Leipzig, Münster, Konstanz und Köln verdanken die Fernsehzuschauer natürlich den sonntagabendlichen Ermittlungen der »Tatort«-Kommissare, die nach striktem Konzept jeden Sonntag einen anderen deutschen Landstrich ins allgemeine Bewusstsein ermitteln. So kommt es auch, dass kleine Kinder, wenn sie an verlassenen Bauernhöfen auf dem Land vorbeikommen, vor denen ein Auto steht, oder eine Hütte im Wald entdecken, vor der Wäsche zum Trocknen hängt, immer gleich die Polizei anrufen wollen. Provinz ist heute da, wo es aussieht wie in einem »Tatort«. Und die erfolgreichste Fernsehserie der letzten Jahre war ja nicht umsonst »Verliebt in Berlin« – eine Serie, deren Fundament es war, dass der große Moloch Berlin durch Lisa Plenske und die anderen Menschen aus dem fiktiven kleinen Nest Döberitz schöner, besser, menschlicher und kurioser wird. So etwas prägt.

Als ernstes Zeichen für ein Landsehnsucht-Virus darf bei Älteren neben dem Kauf eines Land Rovers (oder dem Träumen davon) die Bestellung des Manufactum-Kataloges bezeichnet werden. Dort gibt es sie nämlich noch, die guten Dinge, die deutsche Wertarbeit – und zwar vom Land. Denn schon nach zwei, drei Seiten wird klar, dass all die guten alten, von Hand gefertigten Messer und Eimer immer aus einer Quelle stammen: aus kleinen Firmen in kleinen Nestern. Nur dort, so scheint es, kann überhaupt noch Gutes entstehen, also bei »Pförtner Thermometerbau Lehre«, bei der »Metall Barometerfabrik Lufft in Fellbach« und bei der »Spatenschmiede Baack in der Oelixdorfer Heide«. Gutes aus deutschen Landen.

Und wer so gepackt ist vom Singsang der Oelixdorfer Heide und vom Hunsrück, bei dem ist es nicht mehr weit, so denkt Manufactum, bis die Landinfektion auch zur Bestellung seines Gartens führt. Das ist nach der Katalogbestellung dann die zweite Krankheitsstufe. Manufactum stellt sich den neuen Gärtner in etwa so vor: Er schnürt sich die »Gartenschürze mit abnehmbarem Scherenköcher« um (49 Euro), setzt sich, damit er sich wie in Südfrankreich fühlt, den »Gartenhut geflochten« auf (53 Euro), zieht die »Gartenhalbstiefel Naturkautschuk« (58 Euro) und den »Gartenhandschuh Leder Lange Stulpe« an (34 Euro), nimmt links die »Gießkanne Long Reach« (114 Euro), rechts die »Gärtnerhippe Tina« (99 Euro) zur Hand, um anschließend das »Strauchpaket Wildfruchthecke 1« (59 Euro), natürlich mit Etiketten aus Porzellan (jeweils 13 Euro) und mit der »Manufactum Staudenstütze Stahl« (je 32 Euro), zu setzen. Wenn dann alles eingepflanzt ist, kann man mit dem Manufactum-Kugelschreiber »für schreibende Materialästheten« (14 Euro) erst mal das Anmeldeformular für die private Insolvenz ausfüllen.

Für alle, denen noch Geld übrig bleibt, gibt es ja kostengünstiges Basilikum. Dem Siegeszug des trübsinnigen Vorspeisenduos »Mozzarella mit Tomate« mit vier lieblos abgerissenen Basilikumblättern folgte ein paar Jahre später der Siegeszug der lebenden Basilikumpflanzen. Leider existiert nur ein einziger Ort, an dem die Basilikumpflanze ihr schreiend gesundes Grün behält: neben Bündeln von Schnittlauch und Petersilie in der Gemüseabteilung von Supermärkten, hübschgeleuchtet von Neonröhren. Nur dort scheint Basilikum seine natürlichen Lebensbedingungen anzutreffen. Denn sobald man die Basilikumpflanze aus dem Supermarkt entführt und ihr zu Hause das durchsichtige Plastikröckchen ausgezogen hat, geht sie ein. Ich habe erlebt, dass Basilikumpflanzen, die ich abends kaufte, am nächsten Morgen aussahen, als hätten sie die ganze Nacht durchgemacht. Ich dachte immer, es liege an mir. Daran, dass ich zu früh die Blätter abgeschnitten habe oder zu spät, zu wenig oder zu viel gegossen habe. Aber es ist einerlei. Egal wie man sich verhält, nach ein paar Tagen vertrocknen oder verfaulen (genau weiß man das nie) die ersten Stiele zu dünnen braunen Fäden, und die anderen werden schwächlich gelblich, zwei Blätter kann man vielleicht noch retten, dann ist der Ofen auch schon wieder aus. Immer wieder habe ich dann ein paar Wochen später einen neuen Versuch gestartet, doch es ist sinnlos, Basilikumpflanzen lassen sich außerhalb von Supermärkten schwieriger halten als ein indonesischer Ozelot.

Vielleicht aber hatte das ganze Herumeiern mit den wehleidigen italienischen Pflanzen auch etwas Gutes. Man kann sich küchentechnisch wieder auf das konzentrieren, was auf deutschem Boden auch wirklich wächst. Also auf Petersilie und Salat, auf Rübchen, Spargel und Kartoffeln. Du isst Deutschland – das ist das eine. Und zwar am besten aus dem Bio-Frischemarkt. Gesteigert wird das nur von denjenigen, die – mit Manufactum-Geräten oder ohne – sogar selbst säen, was sie dann ernten. Das verlangsamt auf besonders schöne Weise das Tempo, sagen sie dann. Natürlich ist es völlig fruchtlos, selbst Petersilie auszusäen oder Tomaten zu pflanzen. Wenn man die eigene Arbeitszeit in Stunden berechnet, das Wasser, die Erde, den Topf, den man gekauft hat, ist das volkswirtschaftlich gesehen großer Unsinn. Allein die Cherrytomaten-Pflanze im Topf beim Gärtner kostet mehr als dreimal fünfzehn abgepackte Cherrytomaten im Supermarkt. Doch es geht hier schließlich um etwas ganz anderes.

Denn wer seine ersten süßen Tomaten auf dem eigenen Balkon gezogen hat, ist in der Regel nicht mehr zu halten und nervt jeden, der es hören will, und auch alle anderen mit seinen Oden an die ungeahnten Freuden des Gärtnerns. Jeder, der im Frühjahr eine Tomate auf den Balkon gepflanzt hat, verkündet im Herbst, er könne nie mehr in seinem Leben holländische Gewächshaustomaten anrühren. Das tut dann zwar doch jeder wieder, wenn's nichts anderes gibt, aber mit der ersten geglückten Tomatenernte ist die Sehnsucht nach dem Land nicht mehr weit. Dahin also, wo es Tomaten satt gibt. Auch wenn man dort, erschöpft vom Eigenheimbau oder der Renovierung, die ersten Jahre überhaupt keine Tomaten pflanzen würde, sondern heilfroh wäre, irgendwelche im Supermarkt zu kaufen. Egal. Bei der Sehnsucht nach dem Land geht es ja vor allem darum, dass man wieder grün werden will hinter den Ohren.

So groß ist die Liebe zum Land und zu seinen Naturprodukten, dass sogar die Menschen in der Provinz an den Mythos der Eier von frei laufenden Hühnern glauben. Seit Urzeiten wurde die Familie meiner Mutter von einem »wunderbaren Landwirt« mit frischen Eiern beliefert. Jeden Donnerstag hatte der mehrere große Lagen frische Eier in die Speisekammer meiner Großmutter gebracht, und nachdem diese gestorben war, wurden die Eier zu uns geliefert. Kaum waren sie da, wurden sie weiterverteilt, die eine Lage ging an Onkel Hägar, die andere an Tante Do, die dritte an den Heizungsmonteur Gegenbauer. Da er ohnehin so oft da war, konnte er sie immer gleich mitnehmen. Das Freilandhaltungseier-Verteilungssystem wurde über die Jahre perfektioniert, meine Mutter jonglierte wie eine Eierhändlerin mit dem kostbaren Gut und bestellte von Monat zu Monat mehr bei dem »wunderbaren Landwirt«. Irgendwann einmal kam sie bei seinem Bauernhof vorbei. Da erzählte er ihr, dass er nun aus Altersgründen auch die Hühner aufgeben musste, nachdem er ja schon vor ein paar Jahren die Kühe abgeschafft hätte. Meine Mutter fragte ihn leicht verwundert, wie das sein könne, schließlich liefere er doch bis heute Woche für Woche seine sieben Lagen frische Eier. Ach so, sagte er dann, die Eier, na, ich dachte, ich wollt euch die Freude nicht nehmen, und hab sie dann immer Donnerstagmorgen nebenan bei der Hühnerfarm gekauft und euch dann vorbeigebracht, die haben da jetzt auch ganz gute Eier, ohne diesen ganzen Freilandkram. Aber ihr müsst einfach sagen, wenn ich damit aufhören soll.

Man lernt daraus: Selbst die Menschen, die eigentlich schon dort leben, haben eine unbändige Sehnsucht nach dem Land, nach frei laufenden Eiern und allem Drum und Dran. Und die Bauern auf den Dörfern haben Mitleid und beliefern den Mythos weiter. Und um an dieser

Stelle kurz mit einem Missverständnis aufzuräumen: Wer auf den Golfplatz fährt, hat keineswegs Sehnsucht nach dem Land. Sondern er will Ruhe vor seiner Frau (oder Mann) und hat höchstens Sehnsucht danach, sein Handicap zu verbessern. Seine neue Golfkleidung zu zeigen. Vielleicht auch den Wunsch nach etwas frischer Luft und dunkler Gesichtsfarbe. Und die Hoffnung, den Rollkoffer, den man unter der Woche umherzieht, für ein paar Stunden durch einen Golfcaddie zu ersetzen. Aber ein gemächliches Laufen über viele hundert Quadratmeter täglich geschorenen Rasens ist kein Beleg für Sehnsucht nach der ländlichen Idylle – auch Fußballbundesligaspieler trainieren täglich auf Rasen, ohne gleich im Strafraum Tomaten anpflanzen zu wollen. Und ich vermute, dass auf einem Golfrasen weniger lebende Organismen zu finden sind als in einem durchschnittlichen deutschen Hotelteppich. Ja, fast könnte man sagen, Golfspielen ist das Gegenteil von Landliebe – denn im Grunde sind die Golfer mit ihren aseptischen Handschuhen heimatlose Gesellen. Auf der Suche nach einem Golfplatz mit noch schöneren Greens fliegen sie gern auch für ein paar Stunden nach Schottland, Mallorca, Dubai oder sonst wohin. Und der Provinz rund um ihre Golfplätze, in die sie aus der Stadt missmutig anreisen müssen, stehen sie gelangweilt gegenüber (Beschwerdebriefe richten Sie mit Angabe Ihres aktuellen Handicaps bitte direkt an den Verlag).

Bei Golfern könnte ich deshalb nicht landen. Aber wenn ich meinen Freunden heute in Berlin mit bestimmt recht albern verklärtem Blick erzähle, wie herrlich es war, als man auf dem Land früher so hautnah den Wechsel der Jahreszeiten hatte erleben können, gibt es immer mehr zustimmende Kopfnicker. Ich bin dann selbst hin und her gerissen, weil ich es ehrlich empfinde und zugleich sehe, dass meine subjektive Empfindung auch nicht mehr ist als eine kollektive Sehnsucht. Aber endlich kann ich mal punkten mit meinen Jugendjahren als Landei. Zwar komme ich im eigentlichen Sinne nicht vom Land. Schlitz hat fünftausend Einwohner und die sechzehn Dörfer drum herum noch mal so viele, inklusive dreier Supermärkte. Es handelt sich genau genommen also um eine kleine, sehr schöne Stadt auf dem Land, auf dauergewelltem Land allerdings, mit Feldern und Wäldern drum herum, die Luft ist herb und sauber, und dem Himmel sieht man an, dass er sich oft abregnen darf. In jedem Fall ist es aber tiefe Provinz. Und darauf kommt's an. Da inzwischen viele derer, die einst mit Inbrunst ihre Herkunft verschwiegen und sich wurzellos und großstädtisch gaben, mit immer größerer Leidenschaft Geschichten aus der Heimat erzählen und ein geheimer Wettbewerb eingesetzt hat, wer aus den ursprünglichsten, gottverlassensten, handyempfanglosesten Tälern kommt, stimmen immer mehr ein in den wehmütigen urbanen Naturkostrausch: Ja, auf dem Land (beziehungsweise also dem, was man dafür hält), da fährt man im Winter Schlitten und im Sommer, wenn es heiß ist, Traktor, die Zugvögel flattern einem über den Kopf, ab den Eisheiligen dürfen die Pferde auf die Koppel, dann singen abends die Grillen, man darf Äpfel von den Bäumen schütteln, und beim Herbststurm segeln die Ahornsamen wie Fallschirmspringer aus den gelb leuchtenden Baumkronen. Kindheitserinnerungen und Landsehnsucht verschwimmen da nicht selten zu einem ganz eigenen Gemisch.

Als der deutsche Fußballnationalspieler Philipp Lahm zum Weltklassespieler hochgelobt wurde, fragte ihn jemand nach seinem Lieblingslied, und er sagte: »Ich mag Songs wie ›Irgendwann bleib i dann dort‹ von STS. Mir gefällt der Dialekt, die gute Laune, dieses Gefühl von Heimat.« Das Manufactum-Virus hat also längst auf die Fußballbundesliga übergegriffen. Auch wenn es nicht verwundern dürfte, dass jemand, der Lahm heißt, sich nach jener Sphäre sehnt, die sich der allgegenwärtigen Beschleunigung widersetzt. Letztlich ist alles eine Frage der Perspektive. Denn ehrlich gesagt fand ich den Winter auf dem Land nie sonderlich toll, sondern vor allem saukalt. Statt »Irgendwann bleib i dann dort« hab ich immer gedacht: »Irgendwann bin i dann weg«, in wärmeren Gefilden. Bis in den halben Januar hinein liegen an den Schlitzer Straßenrändern die aufgeweichten rotgrauen Kracherreste und Raketenspitzen von Silvester herum, vermischt mit Schnee und den Tannennadeln, die die Müllabfuhr beim Weihnachtsbaumholen verloren hat. Die Häuser fahl, die Gärten kahl, die Wege kaum geräumt, an fast jedem Dachsims hängt ein vergessener hässlicher Kletterweihnachtsmann, und die Supermärkte versuchen, die letzte Weihnachtsschokolade zu verhökern, die unter der Folie schon von einer Art gräulichem Mehltau befallen ist. Der Winter ist anstrengend in der Provinz. Man spürt, dass die Äcker warten und auch die Menschen, der Schlamm ist schwer und erzählt, was der Sommer bringen wird, Korn, Kartoffeln, Rüben. Es gibt kaum etwas von der lebkuchenhaften Behaglichkeit, die gutbürgerliche Wohnviertel in winterlichen Großstädten ausstrahlen können. Bollerofen und Kaminfeuer sind leider auch so gut wie nie Bestandteile der Wirklichkeit auf dem Land, sondern kommen eigentlich nur in der Bilderbuchprovinz von Bullerbü und Pettersson vor. Das winterliche Leben beginnt in Schlitz immer erst, wenn es richtig kalt wird, meist Anfang Februar. Dann hat man fünf verschiedene Möglichkeiten, mit Krach den Winter zu vertreiben, was ja eine alte germanische Sitte ist. Am verbreitetsten ist in Schlitz der Versuch, den Winter mit dem Geräusch von metallenen Schneeschaufeln zu vertreiben, die man regelmäßig über den Asphalt zieht. Hausmeister und pensionierte Postbeamte verbringen ihren halben Winter damit, mit diesem Geräusch, kaum kommt der erste müde Sonnenstrahl durch den morgendlichen Dunst, den Schnee zu beseitigen und die komplette Nachbarschaft aufzuwecken. Auf dem Land gibt es aber noch die schöne Variante von veralteten Autos, die partout nicht anspringen. Ob das daran liegt, dass in der Provinz die Autos älter oder die Winter kälter sind, weiß ich nicht, aber es gehört für mich zum Aufwachen zu Hause, egal ob damals oder heute, dass Autos wieder und wieder und wieder aufjaulen, weil jemand den Schlüssel dreht, aber der Wagen nicht anspringt. Wenn man noch keinen Führerschein hat, gibt es drei bewährte Methoden, den Winter mit Krach auszutreiben. Zum einen bei Schneeballschlachten mit anschließendem Einseifen, was regelmäßig, egal ob auf dem Schulweg, in der großen Pause oder beim Kindergeburtstag, zu Heulen und Zähneklappern führte. Oder, dezenter, mithilfe jener kleinen zugefrorenen Pfützen, die bei trockener Bitterkälte entstehen, wenn schon am helllichten Tag kurz nach Schulschluss der Mond am blassblauen Himmel steht wie ein bestäubtes Vanillekipferl. Diese Pfützen – oben eine sehr dünne Eisschicht, drunter nur ein Hohlraum – lassen sich mit Moonboots so schön zerteilen wie die Goldfolie über dem Nutellaglas. Die letzte, noch subtilere Form, stellen die Knallerbsen dar, die, von den kahlen Sträuchern gepflückt und auf der Straße zertreten, plupp machen, zumindest manchmal. Allerdings bin ich mir nicht sicher, ob das inzwischen noch Wintergeister hinter dem Ofen hervorlockt. Seit ein paar Jahren gibt es noch eine weitere ortsübliche Methode, ungeheuren Lärm zu produzieren. Lukas, ein alter Schulfreund und großer Autofanatiker, hat seine Leidenschaft zum Beruf gemacht und testet, neben vielem anderen, für die *Fuldaer Zeitung* Autos. Früher testeten wir immer gemeinsam Kettcars auf dem Parkett in der riesigen Wohnung der Eltern in der Vorderburg, direkt über dem Burgmuseum, bis der Wärter hochkam und sagte, wir würden die Touristen vertreiben. Jetzt beschwert sich niemand mehr. Im Gegenteil, alle glotzen. Da er seinen Testwagen ungefähr alle vier Wochen wechselt, verdankt die Schlitzer Bevölkerung Lukas einen präzisen Überblick über die weltweite Automobilproduktion der letzten fünfzehn Jahre. Wenn es Winter wird, werden die Automobile immer größer, die Motoren brummender und die Reifen dicker. Wenn die Fahrzeuge vor seiner Haustür fast Panzergröße erreicht haben, weiß der gemeine Schlitzer, dass tiefster Winter ist.

Angeblich gehöre ich ja der letzten Generation an, die sich noch an Winter mit Schnee erinnert. Ich weiß nicht. In manchen Wintern, die mir einfallen, lag tatsächlich wochenlang Schnee, und wir zogen Tag für Tag mit unseren Schlitten hinaus in die Kahl, um die beste Piste der Umgebung abzufahren, aber ich erinnere mich mindestens so oft daran, dass Gras und Tannennadeln aus dem kümmerlichen bisschen Schnee ragten und man hoffte, es überhaupt bis ins Tal zu schaffen. Und obwohl das verschwindende Weiß wenigstens vom kommenden Grün kündet, ist diese Zeit dazwischen immer die nervigste. Der Winter ist irgendwie schon vorbei, und der Frühling hat irgendwie noch nicht begonnen. Alles ist weder weiß noch grün, eher braun. Erschöpft.

Es war die Zeit, in der ich seltsam nervös wurde. Ich begann, Bonsais zu züchten. Die kleinen Bäume sahen aber Anfang März noch sehr kahl aus, wie Bäume um diese Jahreszeit eben aussehen. Wenn man sie aber so direkt vor der eigenen Nase hat und sogar immer gießt, ist es doch eine Geduldsprobe. Und so machte ich den so genannten Ritztest, mit dem man überprüft, ob der Baum noch lebt. Ich hatte davon mal in einer Bonsaizeitschrift gelesen und versuchte, ihn zu perfektionieren. Man kratzt ein kleines bisschen Rinde ab und schaut, ob es darunter grün aussieht. Das machte ich Ende Januar zum ersten Mal und war sehr froh, dass es unter der Rinde sehr grün schimmerte. Die Woche drauf aber waren die Bäume immer noch kahl. Ungeachtet der Tatsache, dass sie das im Februar genau genommen auch sein dürfen, unternahm ich erneut einen Ritztest. Überall Grün. Ich goss brav wie geheißen und wartete. Anfang März dann immer noch Ruhe in den Knospen. Keine Anzeichen von Frühling. Der nächste

Versuch ergab, dass das Grün schon blasser wurde. Meine Zweifel schienen sich zu bestätigen. Ein letzter Test Mitte März führte dann überall zu geradezu bräunlichen Ergebnissen. Mein älterer Bruder, der Biologe, erklärte mir dann Ende März, als draußen die Bäume auszutreiben begannen, auf meiner Fensterbank aber weiter Winter herrschte, dass ich alle meine geliebten Bäume durch Rundumritztests gekillt hatte. Als Naturfreund, so lernte ich, darf man kein Angsthase sein.

So kam der Frühling überall – außer auf meiner Fensterbank. Die ersten Anzeichen sind bis heute dieselben: Draußen legen die Traktoren los und pflügen ihre Äcker, dann setzen sich die Schrebergärtner in ihre Schrebergärten und schrebern, was das Zeug hält. Überall sieht man Menschen mit Spaten und Gießkannen, und in den Supermärkten hängen die Samentütchen für Karotten und Salat und Sommerblumen ein paar Wochen direkt neben der Kasse. Dass Frühling in Schlitz ist, sehen die Menschen auch daran, dass Lukas jetzt ein Cabrio als neuen Testwagen durch den Ort fährt. Doch Lukas weiß, wann die sonnenreiche Zeit des Vorfrühlings endet, also so etwa Mitte Mai, und wechselt dann in ein Fahrzeug mit Dach. Wie gerne würde man einmal die pralle Blüte der Kastanienbäume und den weißen und lilafarbenen Traum der Fliederbüsche im Mai vor blauem Himmel erleben. Doch in

Schlitz ist das die Jahreszeit, in der es pausenlos zu regnen beginnt. Und Regen, der von Fliederblüten tropft, nasse, tiefschwarze Straßen und dunkles, sattes Grün, das mit sich selbst nichts anzufangen weiß – das ist die westdeutsche Mai-Melancholie. In meiner persönlichen Melancholie-Europameisterschaft belegt sie den ersten Platz, noch vor der Siesta eines andalusischen Dorfes bei fünfunddreißig Grad im Schatten und einem Regennachmittag im November in der Normandie. Das besonders Bedrückende an der regennassen Mai-Melancholie in Schlitz ist nämlich, dass sie eine Fülle zeigt, die man nicht genießen kann. Dazu gibt es sogar eine Steigerungsmöglichkeit, die ich noch heute manchmal genüsslich auskoste, wenn ich im Mai zum Wochenendbesuch in meiner Heimat bin. Dann sitze ich sonntagmorgens in jenem dunklen Raum, in dem unser Fernseher steht, schaue von dort hinaus in einen grauen Himmel, der keine Lust hat, vor dem Dämmern noch einmal blau zu werden, und betrachte einen blühenden Fliederast, von dem der Nachtregen das meiste Lila gespült hat. Dann schalte ich den »ZDF-Fernsehgarten« an, eine Sendung, die auf schönes Wetter abgestellt ist, und sehe nun die Moderatoren und ihre Gäste mit windzerzausten Frisuren und dicken Mänteln im Freien stehen, hinter ihnen erblickt man statt Zuschauern ein Meer von Regenschirmen. Trotzdem wird, geplant ist geplant, Braut- und Sommermode präsentiert, die Models zittern vor Kälte und müssen aufpassen, dass sie auf dem flutschigen Laufsteg nicht ausrutschen, die Moderatorin sagt, man sieht jetzt leider nicht, wie schön der Rock fällt, und dann geht's weiter mit einem Koch, der einen mediterranen Sommersalat machen soll, doch dann kommt der nächste Schauer, und die Moderatorin sagt, liebe Zuschauer zu Hause, wir versuchen unser Bestes. Es hat mich schon damals immer beruhigt, dass das Wetter im Fernsehen nicht besser ist als bei uns in der Provinz.

Über Jahrhunderte hinweg, in denen sie an verregneten Maitagen hinter ihren Fenstern saßen und zusahen, wie sich die Tropfen auf ihren Scheiben sammelten, um dann gemeinsam in die Tiefe hinabzugleiten, haben die Schlitzer mittels genauer Beobachtung die deutsche Sprache um einige Verbformen bereichert. Peitscht der Regen übers Land, dann »drätschd's«; fallen sehr dicke Tropfen aus dunklen Wolken, dann »draddeld's«; kommen die Tropfen nur vereinzelt und kleiner von oben, dann »drebbeld's«. Wenn es eher fein verstäubt nässt, dann »fusseld's« oder »nieseld's«. Und wen der Regenguss ohne Schirm erwischt, der wird »drätschnass«. Mehr braucht man eigentlich nicht, um sich im Mai verständigen zu können. Dazu noch am Rande: Im Wald am Wendberg gibt es einen alten Betonbunker, der ganz von Huflattich und Pestwurz überwuchert ist.

Überall in den Wäldern finden sich dessen gigantische, fast sechzig Zentimeter breite Blätter. Der lateinische Name *Petasites* heißt so viel wie »breitkrempiger Regenhut«. Bei Gewitter tragen die Schlitzerländer heute noch regelmäßig ihr Pestwurzblatt auf dem Kopf. Was gelogen ist.

Doch irgendwann dann, nach all dem Regen und all den Gewittern, endlich: der Sommer. Und weil es bei uns immer so viel drebbeld und draddeld, wächst das Gras so schnell, dass der wahre Sommer mit der ersten Heuernte beginnt. Wenn ich an die ersten heißen Tage in der Provinz denke, dann sehe ich immer alte Männer vor mir, Onkel Hägar, Schorsch Susemichel und all die anderen, sie haben ihr Hemd ausgezogen, stehen im Unterhemd in hüfthohem Gras und sensen. Immer wieder müssen sie pausieren, so heiß ist es, wischen sich dann mit dem Hemd den Schweiß aus der Stirn, schleifen noch ein bisschen die Sense nach, und dann geht es weiter, ritschratsch, ritschratsch. In herrlich gleichmäßigen Bewegungen legen sie einen ganzen Grashang hier und eine kleine Wiese dort flach. Die Männer mit den Sensen wissen immer früher als die anderen, wann der Regen kommt. Denn sie schaffen es immer noch, das Gras zusammenzurechen und mit der Schubkarre wegzufahren, bevor der Himmel zuzieht und es drebbeld oder fusseld. Die Männer mit den Rasenmähern schaffen das nicht immer. Wenn es Feierabend wird in Schlitz, dann holen sie ihre Rasenmäher raus, es knattert durch die ganze Stadt. Wenn das geschnittene Gras dann auf den Wiesen liegt, kommt meist der Regen; das frisch gemähte Gras riecht noch viel stärker, und die Männer verstauen im Keller ihre Gummistiefel, an deren Seiten noch die feuchten Rasenfetzen hängen, die sie dann abbürsten werden, nächste Woche, wenn sie angetrocknet sind.

Wer also bei Land an Stille denkt, der sollte die Rasenmäher nicht vergessen. Und auch die Motorsägen nicht, die sommers wie winters durch die Wälder und Straßen dröhnen, weil irgendwo aus irgendeinem Grund immer ein Ast oder Baum gesägt werden muss. Jäh jaulen rudelweise Sägen durch das Tal, ein absoluter Stimmungskiller. Es gibt kaum etwas Traurigeres, wenn man an einem herrlichen Frühsommertag durch den Buchenwald spaziert – von oben fällt das Sonnenlicht durch die flirrend grünen Blätter, unten blühen die Buschwindröschen – und plötzlich eine Motorsäge durch den Wald schreit. Da kann man dann aber auch alles vergessen. Wer wissen will, wie sich Migräne anfühlt, der stelle sich vor, sein Kopf sei ein Frühlingswald, und links über der Schläfe werfe jemand eine Motorsäge an und arbeite sich dann langsam vor.

Es gibt in Sachen Landlärm auch eine abgeschwächte Variante, die aber durch ihre Dauer eine ebenso nervtötende Wirkung entfalten kann: und zwar die an sich harmlosen Brummfliegen, die sich nachts ins Zimmer schleichen und dann – kaum fällt der erste Sonnenstrahl ins Zimmer – zu ihrem brummenden Rundflug durch den Raum starten. Sie halten zwar ab und zu an, aber nur kurz, dann geht es brummend weiter, Runde um Runde, wie eine gescratchte Schallplatte, wie ein Flugzeug in Warteschleife, nur dass es keinen Flughafen gibt, auf dem sie landen könnten. Diese dicken Brummer gehören zur Provinz wie die gelben Verkehrsschilder, die dreistelligen Telefonnummern und der Baggersee. Man kann zwar versuchen, sie zu jagen und mit einem gezielten Schlag mit einem möglichst dicken Buch (Karl-May-Bände haben sich dabei bewährt) oder einer Fliegenklatsche zu erlegen. Doch das Ergebnis, das man bei Jagdglück an der Scheibe sieht, hinterlässt bei mir immer ein Gefühl wie jener fatale Fehltritt vor zwanzig Jahren, als ich in der Dämmerung auf der dunklen Wiese barfuß einer Nacktschnecke über den Weg lief.

Ich kam damals gerade vom Freibad nach Hause und hatte den schönen kurzen Atem, den ich immer hatte nach einem unendlich langen Sonnennachmittag, an dem ich vierzigmal vom Turm gesprungen und zweimal bis zum Beckenboden getaucht war. Nur einmal im

Monat wurde das Becken gesperrt, dann kam die Schoppen-Elf, das waren dickbäuchige Männer, die mit weißen T-Shirts vom Turm sprangen, und nach einer Stunde war das Becken nur noch halb voll.

Stressig wurden die Freibadtage erst später, als wir Jungs anfingen, uns für Mädchen zu interessieren (die sich aber leider nicht für uns). Plötzlich ging es um ganz andere Dinge. Plötzlich hörten die ersten Jungs auf, Currywurst zu essen, weil Katja gesagt hatte, das sei primitiv und mache dick. Und es setzte ein permanenter Wettstreit darum ein, sein Handtuch in der Nähe von Katja und Peggy zu platzieren. Da man nie genau wusste, ob Katja und Peggy überhaupt kamen, und wenn ja, wann – beziehungsweise, wenn ja und wann, dann wohin –, schenkten wir uns nichts bei der Sicherung der besten Startposition. Manche versuchten einfach, als Erste nach der Schule ihr Handtuch dorthin zu legen, wo Katja und Peggy gestern gelegen hatten. Doch das brachte meist nichts. Erfolgversprechender war es, sich links vom Eingang so lange mit Bademeister Schorschi zu unterhalten, bis sie endlich kamen, und ihnen dann unauffällig zu folgen. Aber im Grunde führte das ganze Handtuchlegen letztlich doch nicht zum Ziel. Wenn man es nämlich irgendwann geschafft hatte, neben einer zu liegen, und sogar die Erlaubnis bekam, ihr den Rücken einzucremen, wähnte man sich bereits vor dem Tor zum Himmel, stand aber in Wahrheit nur am Dienstboteneingang. Denn nachdem wir die Damen ordnungsgemäß eingecremt hatten, ich Katja ausgiebig Delial auf dem Rücken verteilt hatte, standen sie auf und stolzierten über die halbe Wiese hinüber zu Kai und Uwe, den beiden Halbstarken, die zwei Klassen über uns waren. Als wir dann abends zusammen an der Bushaltestelle unten an der Post saßen und eine neue Annäherungstaktik für den nächsten Tag beratschlagten, fuhren Katja und Peggy auf den Rücksitzen der Mofas von Kai und Uwe knatternd an uns vorüber. Ich konnte sogar noch das Delial riechen, mit dem ich Katja drei Stunden zuvor den Rücken eingeschmiert hatte, zumindest bildete ich mir das ein.

Hajo Gildemeister, der Bademeister im Nachbarort, hatte schon damals eine effektivere Methode entwickelt, deren legendärer Ruf bis zu uns gedrungen war. Er hat ein großes Herz und einen gigantischen Humor. Ansonsten war er eher klein. Dennoch ist er eine der tragenden Säulen des Karnevals. Als er einmal fehlte, weil ihn die Krankenkasse ausgerechnet im Februar in die Kur schicken musste, sendete er eine Videobotschaft und berichtete von seinen Erlebnissen als Kurschatten. Im Herbst und Winter, wenn er die kurze weiße Bademeisterhose ausziehen musste, war er oft in Schlitz, weil er dann im Bürgerhaus gut gelaunte Diavorträge über Norwegen und Helgoland hielt. Er war eben vor allem ein Augenmensch. Das mussten all jene lernen, die es nachts gewagt hatten, die zehn Kilometer in den Nachbarort zu fahren, um nach heißen Sommertagen über den Zaun des Freibades von Hajo Gildemeister zu klettern und dort mit der Liebsten nackt zu baden. Es war noch nicht einmal ein wirkliches Vergehen, da eigentlich alle, die nachts über die Zäune stiegen, eine Jahreskarte für alle Freibäder der Region hatten, zumindest für tagsüber. Es hatte eben doch einen gewissen Kitzel, weil man ja erwischt werden konnte – aber deshalb machte man es ja auch nicht zu Hause. Da das nächtliche Nacktbaden im Freibad des Nachbarortes zu den wenigen Freizeitmöglichkeiten der Dorfjugend der umliegenden Gemeinden gehörte, war man in der Tat selten allein. Meist planschte man in einem Becken, da hörte man schon, wie an einer anderen Ecke ein Pärchen vernehmlich flüsternd über den Zaun stieg. Da es in diesem Teil des Städtchens allerdings dunkel war wie die Nacht, konnte man niemanden erkennen, der nicht bis auf fünfzig Zentimeter an einen herangekommen war. Und darum verließen wie bei einem ordentlichen Balzkampf entweder die Letzten oder die Ersten den Ort des Geschehens. Wie auch immer – jedes Mal, wenn man im Wasser herumtobte, leuchtete schon bald die Taschenlampe von Hajo Gildemeister aus der Tiefe der Nacht. Wenn es heiß wurde, schlief Hajo gleich vorn im Bademeisterhäuschen und machte sich dann nächtens auf die Pirsch. Das Schöne daran war, dass er es offenbar keineswegs als lästige Pflicht ansah, auch im Dunkel für Zucht und Ordnung zu sorgen. Näherte sich die Taschenlampe, hieß es schnellstens Reißaus nehmen, die hingeworfenen Kleider auflesen und dann ab über den Zaun. Einmal, an einem besonders heißen Augusttag, rannten mein Bruder und seine Badefreundin zu der Stelle, wo sie ihre Sommerkleider hingeworfen hatten, doch da war nichts. Hajo hatte die Sachen fürsorglich eingesammelt. Sie sahen seine Taschenlampe immer näher kommen und bekamen es doch etwas mit der Angst zu tun. Denn mein Bruder hatte eigentlich eine ganz andere Freundin, und seine Begleitung war gar verlobt. Aber Hajo beruhigte sie beide und sprach: »Keine Angst, ich leucht euch net ins Gsicht.«

Meine Freunde und ich versuchten es bei Einbruch der Dunkelheit lieber mit dem Angeln. Es hieß, dort gebe es zuverlässigere Fangquoten. Wer in Schlitz angeln wollte, musste zu Peter Mühlacker gehen, er war der Fischer am Pfordter See und schon damals schwer beleidigt, weil in dem Tourismusprospekt, den die Stadt Schlitz hunderttausendfach hatte drucken lassen, durch ein Versehen anstelle des Pfordter Sees die Nieder-Mooser Teiche abgebildet wurden. Doch die liegen fünfundzwanzig Kilometer entfernt und gehören zu Lauterbach. Peter Mühlacker jedenfalls wittert seitdem überall Missgunst (auch wenn niemandem außer ihm das falsche Foto auffiel), und er weigert sich auch standhaft seit zwanzig Jahren, das Schild »Hunde Grillen verboten« an seinem Baggersee zu entfernen, weil er trotz einiger Leserbriefe im *Schlitzer Boten* nicht versteht, wo das Problem daran sein soll. Das Schöne an Peter ist jedenfalls, dass man sich dank ihm die Vorstellung bewahren kann, dass die Natur den Menschen beherrscht – und nicht umgekehrt. Jens, der bis heute bei ihm angelt, erzählt, dass die Bootstarife von Anfang an starken saisonalen Schwankungen unterworfen waren. Mal kostete das Ruderboot, mit dem er zum Hechtangeln ausfuhr, fünf Mark, mal zehn, einmal wollte Peter sogar fünfzehn. Die saisonalen Schwankungen, denen Peter unterworfen ist, sind aber ausschließlich auf Neid beziehungsweise Mitleid zurückzuführen. An einem regnerischen Tag, an dem Jens tropfnass und ohne Beute nach sieben Stunden aus dem Boot stieg, gab es das Boot umsonst. An einem sonnigen Tag, an dem Jens nach zwei Stunden mit zwei riesigen Hechten strahlend zum Bootshaus kam, verlangte Peter fünfzehn Euro. Auch bei seinen Angeltipps ist er von großer Wankelmütigkeit. So empfahl er Jens einmal dringend, auf Hechte nur mit dem Blinker an der südlichen Bucht in Schilfnähe zu angeln. Als Jens erfolglos zurückkehrte, war sein Kommentar nur ein unbarmherziges »Na, nichts gefangen? War doch klar«. Tag für Tag überhäufte er Jens mit neuen

Tipps. Der Hecht, so erklärte er ihm an einem Tag, sei vom Sternzeichen her ein Widder, immer mit dem Kopf durch die Wand, deshalb müsse man ihn reizen. Der Hecht, so erklärte er an einem anderen Tag, sei im Grunde melancholisch und antriebsschwach, erst beim zweiten oder dritten Blinker, der an ihm vorüberzieht, beiße er zu. Seitdem Jens auf die Tipps von Peter hörte, fing er jedenfalls keinen einzigen Fisch mehr. Das Einzige, was er im See springen sah, waren die FKKler, die sich frühmorgens ins Wasser stürzten. Die Märchenwiese am Pfordter See ist nämlich die zweitälteste FKK-Kolonie Deutschlands, gegründet 1922. Und Traditionen werden in Schlitz gepflegt. Nur hätte Jens eben auch sehr gern die Tradition gepflegt, beim Angeln etwas zu fangen. Nachdem er zum siebten Mal hintereinander trotz der psychologisch ausgefeilten Tipps von Peter keinen Hecht an den Haken bekommen hatte, stellte er ihn zur Rede. Da zuckte Peter nur mit den Schultern und sagte einen seiner klassischen Sätze: »Bin ich ein Hecht?« Auch Naturvölkern wie den Schlitzerländern bleibt die Natur also letztlich ein Rätsel.

Aber natürlich wird sie wacker weiter akribisch erforscht, vor allem von der Lokalzeitung. Wenn eine Buntschecke von Jägern erlegt wird, ist dies genauso eine lange Erörterung wert wie das massenhafte Auftreten der Waschbären, die inzwischen Nacht für Nacht die Aufgaben der Müllabfuhr übernommen haben und die Schlitzer Mülltonnen ausräumen. Und es kommt schon mal vor, dass der Aufmacher des Lokalteils an einem gewöhnlichen Werktag mit den Zeilen beginnt: »Erinnern Sie sich noch an die zutraulichen Igel der Familie Kunz in der Schlesischen Straße? Was machen die Igel inzwischen?« Dann ein Foto und die frohe Botschaft: Den Igeln geht es gut, sie kommen immer wieder zum Fressen vorbei. Dann folgt ein Abschluss, der zeigt, wie sehr sich die Menschen auf dem Lande des Glücks der Entschleunigung bewusst sind: »Wir«, so schreibt die Familie Kunz, »freuen uns immer, wenn die Igel uns besuchen kommen. Es ist schön, wenn man so viel Natur noch erleben darf in einer Zeit von Stress und Hektik.«

Ich war nicht immer ganz der Meinung der Familie Kunz, vor allem nicht im Oktober. Da fand ich es manchmal nicht so schön, in einer Zeit von Stress und Hektik immer noch so viel Natur erleben zu müssen. Denn wenn der Oktober kommt und morgens der Tau in den langen nassen Gräsern hängt, wenn sich das Sonnenlicht schon in den Spinnweben zwischen den Halmen verfängt, dann beginnt die Zeit, die in Schlitz Apfelkirmes heißt. Dann werden die Apfelbäume geschüttelt, was das Zeug hält, und die Älteren schwärmen von irgendwelchen Apfelsorten, die Boskop heißen oder

Doktor Soundso, und erzählen, dass dies der einzige Apfel war, den Großmutter überhaupt gerne aß. Die Jüngeren müssen derweil den Rücken krumm machen und im Gras nach den Äpfeln wühlen und greifen dabei oft in das, was vom Apfel übrig blieb: eine teigige, angefaulte Masse nebst Wespenfamilie beim Obstfrühstück. Dann werden Körbe und Waschtröge mit Äpfeln gefüllt, in den Kofferräumen verstaut und zu den Apfelpressen nach Bernshausen gefahren, Tour um Tour, Samstag für Samstag rollen die Apfeltransporteure, wiegen ihre Äpfel, werfen sie in riesige Container und fahren los, um Nachschub zu holen. Ich glaube, niemals werden so wenige Äpfel gegessen wie während der Apfelernte, man vergisst fast, dass man das auch essen kann, was man da die ganze Zeit aufliest, verstaut und verpackt. So dringt man auch nicht zum Kern des Apfels vor und damit zu einem der tiefstsitzenden sprachlichen Unterschiede in deutschen Landen. Denn das, was vom Apfel übrig blieb, heißt überall anders, ein echtes Thema für das Ortsgespräch, das schon im Nachbarkreis nicht mehr verstanden wird. Die Bezeichnungen für das Apfelkerngehäuse sind die sprachlichen Autokennzeichen der Bundesrepublik. In Thüringen und im Rhön-Grabfeld-Kreis sagt man also Griebsch, in Schwaben heißt es Butzen, ein Mainzer sagt Griebs, in Hannover heißt es Griebchen, im Ruhrpott Kitsche. Und in Schlitz heißt es Apfelkrotzen. Das ist kein schönes Wort, ich weiß, es klingt eigentlich so, als wolle man die Buchstaben ausspucken wie einen Apfelkern. Aber immerhin ist es hart und ehrlich und hat nicht das Verschleiernd-Zärtliche von Apfelgriebsch. Woher soll man denn da wissen, dass es sich um Abfall handelt? Im Internet gibt es eine wunderbare Schlacht beim Übersetzungsprogramm »Leo«. Denn da stand eben als Übersetzungsvorschlag für »apple core« das schöne Wort »Griebs« – dann kam aber jemand dazwischen und meinte, das müsse »Apfelputzen« heißen, sonst wisse man gar nicht, was gemeint ist. Oder, auf Englisch: »I live in S. Deutl. where everyone uses Apfelputzen and nobody has heard of Griebs.« Da brach dann ein Sturm der Empörung im Internet los, denn natürlich gibt es in ganz Deutschland doch sehr viele nobodys, die never »Apfelputzen« gehört haben. Als dann sogar jemand ernsthaft vorschlug, deutschlandweit das Wort »Gekröse« einzuführen, schlug ein Schreiber im Internet dazwischen. All diese lächerlichen Kunstworte, so tobte er, würden den Kern der Sache falsch beschreiben. Allein das Wort »Apfelkrotzen« bringe die Verachtung, die man für den unansehnlichen Rest des Apfels übrig habe, perfekt zum Ausdruck. Ich bin mir sicher, dieser Mann kam aus Schlitz.

Aber weder die Apfelernte noch das Apfelgekröse helfen einem weiter. Denn immer wenn ich glaubte, ich hätte das Schlimmste schon hinter mir, begann die Beschäftigung mit dem Endprodukt: dem Apfelsaft. Als Erstes musste man beim Apfelmann endlose Reihen von sauschweren Apfelsaftkisten in die Kofferräume einräumen. Nun ist an sich nichts gegen Apfelsaft einzuwenden. Aber das Gefühl, Ende Oktober im Keller einhundertsechsundzwanzig Kisten Apfelsaft verstaut zu haben, die man bis zum nächsten Oktober trinken soll, hatte auf mich immer eine etwas lähmende Wirkung. Wahrscheinlich auch deshalb, weil zu diesem Zeitpunkt vom letzten Oktober noch etwa dreißig Flaschen da waren, und von dem vor zwei Jahren ungefähr vierzig. Jahrelang durften wir nie etwas anderes trinken als naturtrüben Apfelsaft. Wenn wir Durst hatten und irgendetwas anderes wollten, hieß es immer, erst trinken wir schön den Apfelsaft. In dem naturtrüben Saft schwammen immer solche Fäden und Flöckchen, die wie Schimmel aussahen, aber »normaler« kam uns nicht ins Haus, angeblich war der Vitamingehalt viel zu gering. Wenn meine Geschwister und ich heute nach Hause kommen, gibt es selbstverständlich immer noch naturtrüben Apfelsaft, obwohl die Apfelsaftproduktion schon vor Jahren eingestellt wurde, als meine Cousins auf die Apfelgrundstücke ihre Häuser bauten. Vielleicht sollten wir noch ein paar Jahre warten, dann steigen wir in unseren Keller und verkaufen Apfelsaft aus den frühen siebziger Jahren zu Höchstpreisen bei Ebay. Und wenn die Leute sagen, der ist doch verschimmelt, werden wir sie darüber aufklären, dass der naturtrübe Saft im zwanzigsten Jahrhundert immer diese Flocken hatte. Wegen der Vitamine.

Wenn die ersten Flocken im Apfelsaft herniederfielen, dann war der Winter nicht mehr weit. Wenig später wurden die Ahornbäume so gelb wie sonst nur die Rapsfelder im Mai, und wir holten uns mit Stöcken oben aus den Kastanien die prallen Früchte. Wir radelten in die Kastanienallee beim Schloss und warfen unsere Stöcke in die Kronen, bis wir den halben Baum und auch ein paar Kastanien runtergeholt hatten. Dann packten wir die Kastanien in Tüten und radelten zum Bauer Rindfleisch, der zahlte eine Mark für fünf Kilo und fütterte damit seine Schweine. Einmal setzte uns Bauer Rindfleisch sogar als Aufklärungsstaffel ein. Im Erfolgsfall hätte es sogar Geld gegeben, doch der sollte leider nicht eintreten. Dem Bauer Rindfleisch war ein Rind ausgebüxt, offenbar aus Angst davor, zu Fleisch zu werden. Das ist an und für sich nichts Besonderes bei uns im Ort, wo die Kühe immer nur mit Pfiffen und einem kurzen Holzstecken über die Straßen zu den Weiden getrieben werden. Diese Kuh aber blieb unglaubliche vier Monate lang verschwunden. Eventuell war sie auch nur im Mutterschutz, denn sie war trächtig, hatte sich also die übliche Auszeit genommen, um zu kalben. Sie war während des Weideabtriebs abgehauen und im Waldgebiet des Sengersberges verschwunden, selbst mit einer Treibjagd kam man ihr nicht auf die Spur. Wir suchten also immer wieder mit unseren Rädern den Berg ab. Nichts, keine Kuh. Der Bauer legte dann Futter aus, um sie zu locken – es war ein kalter Herbst. Am nächsten Morgen war das Futter verschwunden, aber die Kuh auch. Irgendwann sah man an den Hufabdrücken, dass das Rind tatsächlich gekalbt hatte und nunmehr mit Tochter im Walde wohnte. Doch dann nahm das Schicksal seinen Lauf. Was uns Fahrradfahrern und dem Bauern nicht gelang, nämlich das Tier aufzuspüren, schaffte ein örtlicher Jäger. Mehr noch, mit einem Blattschuss erlegte er das Tier gar. Man weiß ja seit Problembär Bruno, dass dies nach wie vor die konsequenteste Form des Tierfangs ist. Später gab der Schlitzer Schütze auch tatsächlich zu Protokoll, er habe geglaubt, einen Problembären vor der Flinte zu haben. Es ist nicht bewiesen, dass es sich bei ihm um Fritz Wepper handelte, jenen Schlitzer Jäger, dessen mangelhafte Zielsicherheit der *Schlitzer Bote* später einmal heftig kritisieren sollte.

Keine Überlebenden hingegen hinterlässt Ende November, Anfang Dezember der erste Frost in den Schlitzer Vorgärten. Von einem auf den anderen Tag ist alles in sich zusammengesackt, schlapp liegen die Blumen auf ihren Beeten, die Sonne steigt auf am Himmel, doch die

Pflanzen machen nicht mehr mit. Vor allem zwei Pflanzenarten werden vom ersten Nachtfrost gezielt vernichtet. Die Kapuzinerkresse und die Geranie. Wie nach einem Bombenangriff liegen sie in den Balkonkästen vor den Fensterbänken. Wer Geranien hässlich findet, der soll sie erst einmal riechen, wenn sie abgefroren sind. Da die Hälfte des Schlitzerlandes mit Geranien bepflanzt ist, folgt dem ersten Nachtfrost im Jahr ein lokaler Volkstrauertag. Ab diesem Tag bleiben alle drinnen und pflegen ihre Usambaraveilchen. Und wenn dann bei Eisen Adolph wieder der Besen rausgestellt wird, geht das Jahr von vorn los.

3. Kapitel

Ortsgespräch

In welchem erzählt wird, wie Heimat
organisiert ist; wie man sich
gegenseitig mit Salat, Kuchen und
Johannisbeermarmelade versorgt.
Wie die Kirchturmglocken
und die Feuerwehrsirene allen sagen, was
die Stunde geschlagen hat.
Warum der Spott über bestimmte
Autokennzeichen den
Zusammenhalt fördert und, schließlich:
Wieso die rhetorisch-pädagogische
Frage »Machst du das zu Hause auch?«,
zu Hause nichts bringt.

Menschen, die aus derselben ländlichen Gegend kommen, verbindet ein sichtbares gemeinsames Merkmal. Nein, es ist nicht der Schnurrbart. Sondern das Autokennzeichen. Ich würde zwar nicht sagen, dass mich heimatliche Gefühle anwehen, wenn ich, sagen wir in München, ein Auto mit Berliner Kennzeichen auf der Straße sehe. Wenn ich aber in den Berliner Straßen ein Auto mit dem Kennzeichen VB sehe, dann schaue ich genauer hin. Das letzte Mal entdeckte ich eines am Rande der Loveparade vor ein paar Jahren; es parkte in einer Seitenstraße, und drin saßen drei übergewichtige Mädchen, die sich die Augenlider rosa schminkten und ihre schillernden Röcke für den nachmittäglichen Techno-Umzug richteten. Ich hätte den spöttischen Blick des Großstädters auf sie werfen können, doch ich begegnete ihnen mit den mitfühlenden Augen eines Leidensgenossen. Denn wer aus VB kommt, was offiziell für Vogelsbergkreis steht, der wird ein Leben lang, sobald er sich über die Stadtgrenze von Fulda oder gar Frankfurt wagt, als »Vogelsberger Bauer« verspottet. Das ist eine Art Urerlebnis. Erst durch diesen Spott, den sie allein wegen ihrer offenkundigen Herkunft vom

Lande ertragen müssen, werden sich viele überhaupt bewusst, wie gnadenlos die große Stadt Menschen aus der Provinz jegliche Zurechnungsfähigkeit erst einmal abspricht. Jede deutsche Großstadt lebt in dem festen Glauben, die Menschen aus dem Umland könnten nicht Auto fahren. Es beginnt im Norden mit den HH-Hamburgern, die bis heute die PI-Pinneberger für die schlechtesten Autofahrer Deutschlands halten, setzt sich fort mit den K-Kölnern, die in BM-Bergheimern geistig unterentwickelte Bierkutscher sehen, und geht weiter mit den Frankfurtern, die das OF-Kennzeichen wegen der angeblich katastrophalen Offenbacher Fahrkünste als »Ohne Führerschein« lesen. Und immer, wenn ein VB-Fahrzeug es tatsächlich wagt, in der Frankfurter Innenstadt herumzufahren, wundern sich die Einheimischen wahrscheinlich, dass es im Vogelsberg nicht nur Traktoren, sondern auch gewöhnliche Pkws gibt. Für die Stuttgarter sind BB (nicht Böblingen, sondern »BauernBuben«) sowie WN (»Aus Winnenden kommen die Spinnenden«) und für Münchner GAP und DAH die Landkreise, aus denen jene Menschen kommen, die noch auf den Bäumen leben. Man hat überhaupt nur zwei Chancen, der totalen Verachtung der Provinz durch die Stadt zu entkommen: die Kennzeichen HG und STA. Wer nämlich in Bad Homburg oder am Starnberger See wohnt, der lebt zwar nicht in der Stadt, aber trotzdem auf einem Boden, dessen Quadratmeterpreise städtisches Niveau haben, und – das ist das Entscheidende – fährt noch teurere und exquisitere Autos als die Bewohner von Frankfurt und München. Da taucht die Vermutung, dass Menschen aus dem Taunus oder vom Starnberger See schlechtere Autofahrer sind, gar nicht erst auf. Die beiden Kreise HG und STA sind mental eingemeindet und dürfen sich als Teil der städtischen Sphäre fühlen. Und wahrscheinlich wird das sicherste Indiz dafür, dass Berlin es endlich geschafft hat, auch wirtschaftlich eine ernst zu nehmende Großstadt in Deutschland zu werden, der Zeitpunkt sein, an dem das Berliner Kennzeichen in München, Frankfurt und Hamburg nicht mehr belächelt wird. Das entspricht andersherum dem Moment, in dem einer der schönen Umgebungskreise wie Uckermark oder Potsdam, Barnim oder Teltow-Fläming so schick geworden ist, dass man an einem sonnigen Sommernachmittag in einem Cabrio mit dem Kennzeichen OHV (»Ohne Hirn und Verstand«), BAR, TF oder LDS über den Ku'damm fahren kann, ohne dass die Prada-Boutiquen das »closed«-Schild in die Tür hängen. Mit ein wenig Glück könnte es schon in etwa hundert Jahren so weit sein.

Das Brutale an dieser deutschlandweiten Verunglimpfung der Landbevölkerung ist, dass die Kleinkinder sie schon fast mit der Muttermilch einsaugen, da es ver-

mutlich seit der Erfindung des Automobils das einfachs-
te Kinderberuhigungsspiel im Stau ist, die Autokennzeichen rundherum zu erklären. Das hilft einem zwar
auch nicht langfristig weiter, wenn man das Pech hat,
eine Stunde auf der Stelle zu stehen, und immer nur dieselben vier Kennzeichen sieht. Aber bei den Kindern
brennen sich die dann umso besser ein. Papa sagt, Personen aus Pinneberg können nicht Auto fahren, und das
lernen sie dann, bevor sie selbst Fahrrad fahren können.
Auf diese Weise werden sie schon in der Grundschule zu
blasierten Spöttern ausgebildet und rümpfen ihr Näs-
chen über so viel Provinzialität, wenn ihre Freunde von
Müttern in Autos mit Kennzeichen des Umlandes ab-
geholt werden.

Das Nonplusultra (NPU) dieser Schmach bedeuten drei
Stellen. Dreistellige Autokennzeichen sind die fahrbare
Entsprechung der dreistelligen Telefonnummern, sie
galten im Westen schon immer als Zeichen der tiefsten
Provinz. Da können die Besitzer dreistelliger Kennzeichen noch jahrzehntelang brav ihre japanischen und ko-
reanischen Wagen in Metallictönen in die Großstadt zu
ihren Joe-Cocker-Konzerten und Holiday-on-Ice-Galas
fahren, ordnungsgemäß einparken und sich tadellos
verhalten – es hilft nichts. Ein einziger Opel mit einem
großen KENWOOD-Signet auf der Rückscheibe und
einem »Böhse Onkelz«-Aufkleber, der an der Ampel

aufjaulend Gas gibt, reicht, um den Ruf des Landkreises wieder bis in die nächste Generation zu versauen. Wenn es sogar noch ein Kennzeichen ist, das dem westdeutschen Städter fremd ist, also irgendein ostdeutsches HVL oder BAR oder RÜG, dann kennt der Spott kein Halten mehr. Das ist die bittere Wahrheit der Wiedervereinigung: Echte Brüder und Schwestern sind wir nur im Geltungsbereich unseres heimischen Autokennzeichens. Zum Glück ist der in etwa deckungsgleich mit dem Geltungsbereich des Ortsgesprächs. So kann man sich untereinander wenigstens kostengünstig trösten.

Gegen Autokennzeichen kann man sich ebenso wenig wehren wie gegen den Dialekt, den man sich abtrainiert, den Geschmack, den man verfeinert, oder Klassentreffen, zu denen man nicht geht. Zwar mag man immer mal wieder den Versuch starten, die Schmach des Nummernschildes dadurch zu tilgen, dass man es an ein möglichst protziges Auto hängt. Doch das hilft auch nichts. Dann verzieht der Städter erst recht das Gesicht. Denn gerade durch den Versuch, unsere provinzielle Herkunft zu verbergen, offenbaren wir sie. Wer schon mal als Unterwäschemodell gearbeitet hat, weiß, wovon die Rede ist. Zwar kann ich hier leider keine persönlichen Erfahrungen beitragen, wohl aber kenne ich die in Falten gelegte Stirn von Frauen, die über eine andere Frau sagen, sie sei einmal Unterwäschemodell gewesen. Aus irgendeinem Grund, der sich Männern nie ganz erschließen wird, gilt dies als eine der moralisch anfechtbarsten Möglichkeiten, sein Geld zu verdienen. Sie ist sozusagen die Provinz unter den Berufen. Einmal Unterwäschemodell, immer Unterwäschemodell. Einmal Provinz, immer Provinz. Da kann man nachher noch so viel drüberziehen.

Drüberziehen hilft nämlich nur in der Provinz selbst. Vor allem, wenn es ein Hochzeitskleid ist. Irgendwann begann ich, mit dem Rad regelmäßige Erkundungsreisen zum Schaufenster von »Foto Bangemann« zu unternehmen. Herr Bangemann war stets braun gebrannt und hatte graues Haar, das er wellig mit einem Kamm nach hinten strich, wann immer sich die Gelegenheit dazu bot. Er sah aus wie ein amerikanischer Kapitalinvestor, betrieb aber in erster Linie einen Fotoladen. Der Sommer war für ihn immer besonders ergiebig, denn das war die Zeit der neuen Hochzeitsfotos – sie wurden grundsätzlich im Schlitzer Schlosspark aufgenommen, entweder auf der steinernen Brücke über den Sengelbach oder auf der Treppe des Schlosses. Die Damen hatten immer zu stark gerötete Wangen, die Männer sahen immer aus, als kämen sie gerade vom Friseur, der sie unglücklicherweise überredet hat, diesmal etwas ganz anderes zu machen. Die Herren blickten stoisch glücksbesoffen, die Damen einmal devot von unten hinauf (damit er sich sicher fühlt) und einmal keck über die Schulter (damit er sich nicht zu sicher fühlt).

Für die meisten Frauen war es bereits das zweite Hochzeitsfoto, das sie sich zu Hause ins Album kleben konnten. Denn zuvor waren alle Frauen des Schlitzerlandes schon einmal getraut worden. Es gab nämlich die interessante Sitte, der zufolge die Standesbeamtin, Frau Igel, jedes Jahr mit dem Kindergarten eine Trauung organisierte, komplett mit Braut und Bräutigam sowie feierlicher Prozession vom Kindergarten zum Standesamt. Dort wurden zwei, drei, vier Paare getraut, Ringe aus Plastik wurden getauscht, Trauzeugen und Blumenmädchen kamen zum Einsatz, man unterschrieb auf irgendwelchen Phantasieurkunden. Dann schaute Herr Bangemann kurz vorbei und machte Fotos von den Jungvermählten. Sie mussten sich an den Händen fassen und ein bisschen anschmachten, wobei man den meisten ansah, dass sie sich noch eher peripher für das andere Geschlecht interessierten und lieber mit ihren Barbiepuppen oder Carrera-Bahnen beschäftigt hätten. Ich war kreuzunglücklich, weil nicht ich Sonja heiraten durfte, sondern Lukas, sie sah wundervoll aus, ihre Mutter hatte ihr tatsächlich ein Kleid aus weißer Spitze angezogen, im Haar trug sie eine Haarklemme mit Marienkäfern drauf. Ich schmolz dahin. Doch für mich war in diesem Schauspiel die undankbarste Rolle überhaupt vorgesehen. Ich sollte Trauzeuge sein. Und also diese Ehe, die mir sehr gegen den Strich ging, mit meiner Unterschrift bezeugen. Mit meinem Namen habe ich ihre Ehe dann aber doch nicht bezeugt, sondern nur mit dem von Karl-Heinz Rummenigge. Ich weiß noch heute, wie ich plötzlich kurz zögerte, ob er sich nun mit zwei G schrieb oder einem, und wie ich versuchte, ganz staatstragend zu gucken, damit es niemandem auffiel. Und wie ich dann dachte, ist jetzt auch egal, mit wie viel G, Hauptsache so gucken, als wär nichts gewesen. Um meine Rolle als Außenseiter zu unterstreichen, hatte mir meine Mutter zur Feier des Tages eine rot karierte Hose angezogen, die ich nie zuvor und danach nie wieder gesehen habe, aber an diesem Tag musste ich mit diesem absurden Küchenhandtuch um die Beine durch die Straßen ziehen, missmutig hinter meiner Traumfrau hertrottend, die gerade mit einem anderen die Ringe getauscht hatte. Als wir so durch die Stadt zogen, trafen wir auf Tante Do, die gerade mit ihrem Polo durch die Straßen brauste und irgendjemand mit Buttercremetorte versorgte. Sie schaute sehr irritiert, und ich weiß nicht, ob es an der Veranstaltung oder an meiner Hose lag.

Eigentlich wurde die Frühverheiratung als solche in Westeuropa ja vor langer Zeit verboten, nicht aber in Schlitz. Das hat den Vorteil, dass die Bräute dann zwanzig Jahre später routiniert sind, wenn es ernst wird. Sie alle haben die herzerwärmenden Worte von Frau Igel schon einmal gehört, wissen also schon, dass sie – so ein gern genommener Standesbeamtensatz – den anderen ehren und ihm seine Hobbys lassen sollen. Und wenn Herr Bangemann mit seiner Fotokamera anrückt, wissen sie bereits genau, was zu tun ist. Die echten Hochzeitsfotos im Schaufenster waren von jeher vor allem für die Schlitzerländer jenseits der zwanzig interessant. Die Männer sahen, wer endgültig vergeben war, und die Frauen, wo sich unter dem Hochzeitskleid bereits ein Bäuchlein wölbte. Kenner erkannten zudem, ob der Brautstrauß vom Gärtner Süß oder vom Gärtner Feick war. Im Schaufenster direkt daneben hingen dann Schwarzweißfotos mit David-Hamilton-Filter von Frauen, die kokett das Kinn auf die Hand stützten oder denen ein Träger über die Schulter rutschte. Ich glaube, man nennt diese Stilrichtung »gewagt«. Leider fehlen unter den Fotos bis heute die Namen und Telefonnummern der Frauen, mittels deren die Betrachter auf der anderen Seite des Schaufensters direkt Kontakt aufnehmen könnten. Die einzige Nummer, die unter jedem Foto steht, ist die von Herrn Bangemann. Sind die Hochzeitsfotos im linken Schaufenster das inoffizielle Aufgebot der Stadt, so sind die Fotos im rechten ihr inoffizielles Angebot. Eine zuverlässigere Informationsquelle für die heiratsfähigen Männer unseres Ortes lässt sich bis heute nicht denken.

Als ich neulich nach langer Zeit wieder einmal an diesen beiden Schaufenstern vorbeifuhr, stellte ich fest, dass dort die Frauen des Schlitzerlandes für alle Interessenten offensichtlich immer noch nach vorehelich und ehelich geordnet werden, auch der Nachfolger von Herrn Bangemann hält also diese große Tradition aufrecht. Die Schaufenster der Fotografen in ostdeutschen Kleinstädten unterscheiden sich eigentlich nur insofern von denen im Westen, als bei den Brautmoden nicht unbedingt Weiß und Schwarz die üblichen Farben sind, sondern ein starker Hang zu Fliedertönen sichtbar wird und auch die Männer Strähnchen tragen. Im Schaufenster für die Angebote ist weniger der Weichzeichner von David Hamilton gefragt als vielmehr »das nette Girl von nebenan«. Auch nimmt die Tattoodichte mit jedem Längengrad Richtung Osten stark zu. Das Prinzip ist dasselbe.

Wenn »Foto Bangemann« die Kontaktbörse von Schlitz ist, dann ist die Kirchenglocke sein Terminkalender. Wenn zur Mittagszeit die Glocken plötzlich laut und stark läuten, weiß jeder, dass es jetzt zwölf ist und damit bald Mittagessen. Und wenn sie abends um sechs Uhr loslegen, als müsste man sie bis zur Nordsee hören können, weiß jeder, dass es jetzt Abendbrot gibt – auf abwaschbaren Brettchen. Während in der Woche die Glocken jedem signalisieren, dass es jetzt schnell nach

Hause geht, sollen sie am Sonntagmorgen jeden von zu Hause in die Kirche rufen. Und damit das klappt und alle pünktlich kommen, beginnen die Glocken der evangelischen Kirche jeden Sonntag genau um vierzehn Minuten vor zehn zu läuten – denn vierzehn Minuten, so hat man einmal in den fünfziger Jahren berechnet, ist genau die Zeit, die eine ältere Dame vom am weitesten entfernten Haus zu Fuß braucht, um noch rechtzeitig zum Gottesdienst anzukommen. Deshalb haben die Älteren noch immer die Gewohnheit, sich erst zu Beginn des Glockenläutens auf den Weg in die Kirche zu machen. In der Nähe der Kirche steht dazu noch eine der fünf Burgen, und an deren Turm, dem höchsten Punkt der Stadt, schlägt zu beiden Seiten eine riesige rot-goldene Uhr, die man von der halben Stadt aus sehen kann und die vorgibt, wann und wie in Schlitz die Zeit vergeht. Sekundenzeiger braucht sie dafür nicht. In Schlitz gibt es noch eine gemeinsame Zeit. In der Stadt lebt jeder nach seiner eigenen. Der Verlust von kollektiven Zeitrhythmen sei eine der auffälligsten Veränderungen der Moderne, hat der Soziologe Hartmut Rosa in seinem Buch über »Beschleunigung« geschrieben. Es ist dies einer der vielen Verluste, die die Menschen auf dem Land schönerweise noch nicht haben erleiden müssen. Sie gebrauchen Worte wie »Zeitmanagement« und »zeitnah erledigen« nicht, haben kein drängendes Bedürfnis, »Simplify your life« zu lesen, und werden nie verstehen, warum man Kaffee neuerdings nur noch in schlabbrigen hellbraunen Pappbechern im Laufen und nicht mehr in Ruhe zu Hause trinken soll, und zwar aus dem Pott mit lustigem Spruch.

Neben der Burg- und Kirchturmuhr und der Sirene der freiwilligen Feuerwehr wird auf dem Lande auch die Natur noch als eine Autorität akzeptiert, die einen kollektiven Lebensrhythmus vorgibt. Während in den Städten die einzige wirkliche Erinnerung an den Lauf der Natur die Tatsache ist, dass es nur im Mai und Juni Spargel gibt (was dann aber auch alle anstandslos und fast nostalgisch gerührt zelebrieren), hat die Natur die Provinz ganzjährig im Griff. Vor dem großen Regen, wenn die Heuernte oder das Korn eingefahren werden muss, sind auf den Bauernhöfen die Bauern und die Kinder und die Nachbarn im Dauereinsatz; wenn Schnee fällt, müssen alle frühmorgens raus und ihre Gehwege räumen; und wenn im Frühjahr das Hochwasser kommt, dann dauert jede Fahrt doppelt so lange, weil die Hälfte der Straßen überschwemmt ist und man auf Feldwege ausweichen muss. Das ist dann so. Naturgesetz eben. So merkt man auch in ganz Schlitz, was gerade in den Gärten reif geworden ist – und zwar weit über den Spargel hinaus. Wenn die ersten Salatköpfe geerntet werden können, gibt es bei allen Salat zu essen, und weil dann fast alle, die ihn anbauen, zu viel haben, setzt der berühmte ländliche Versorgungsverkehr ein: Man trägt den Salatkopf zum Nachbarn und zur Tante zwei Straßen weiter. Das gleiche Spiel wiederholt sich, wenn die Kürbisse reif sind und die Zucchini. Dann wird für eine Woche der Speiseplan in den Häusern auf Kürbis- oder Zucchinispeisen umgestellt. Und der Rest wird großflächig über die Bekanntschaft und Verwandtschaft verteilt. Das Einfrieren von selbst geernteten Gemüsen und Früchten ist auf dem Land immer nur die drittbeste Lösung. So zieht sich ab Juni bis in den Oktober, wenn die Äpfel und Birnen reif sind, eine unsichtbare Naturkostverwertungskette durch die Straßen von Schlitz. Autofahrer, Radler und Fußgänger bemühen sich, in ihren Körben Salatköpfe von A nach B zu bringen, und holen dafür Bohnen von B nach A. Tante Marthel trägt dann ein paar Wochen später Erdbeeren von A und B zu D, wofür ihr Onkel Hägar sofort mit Zucchini dankt und Tante Rosa (A) und die Bäckersfrau Linke (B) zwei Monate später mit Johannisbeeren.

Dieser Austausch umfasst allerdings nicht nur die nützlichen, sondern auch die schönen Dinge, also Blumen. Das Jahr beginnt mit Akelei und endet mit der Christrose, dazwischen kommen bei Mitgliedern des Versorgungssystems immer mal pralle, frische Sträuße von Dahlien, Rosen und Margeriten vorbei, überreicht von

den freundlichen Züchterinnen, die die ganze Dahlien-
oder Margeritenpracht gar nicht allein bewältigen können und deshalb gern teilen. Im Sommer hat man in
Schlitz das Gefühl, als hätten die Caritas und Fleu-
rop fusioniert. Könnte man sich das alles in Ruhe mit
Google Earth von oben anschauen, wäre alles ganz grün,
und man würde lauter kleine Frauen und Männer sehen, die einen Teil des Grüns über die grauen Straßen
zu einem anderen grünen Fleck tragen, hin und her, her
und hin, in einem emsigen Strom, wie ein Ameisenvolk
auf Ecstasy. Dieser Grünzeugverkehr sorgt zudem dafür,
dass immer alle bei jemand anders gerade ihre Körbe
oder Tupperwaren stehen haben und in unserer Garderobe immer Schüsseln oder Körbe von Nachbarn stehen, weshalb noch mehr Gerenne nötig ist, damit – so
das Ziel – am Ende alle Tupperdosen wieder am rechten
Ort sind. Aber hier ist eher der Weg das Ziel. Da sich
dieses Prinzip des permanenten Warenaustausches so
gut etabliert hat auf dem Land, lässt es sich auch auf
Kuchen jeder Art und – falls der Versorgte krank ist –
Suppen und andere gegarte Speisen in schwarzen Koch-
töpfen erweitern. Ein gezielter Diebstahl hat eines his-
torischen Tages dazu geführt, dass das Essen in Schlitz
nie ausgehen wird. Denn als die Ufa in den zwanziger
Jahren in den Fachwerkgassen von Schlitz den Film
»Tischlein deck dich« drehte, durften die Filmleute am
Ende wieder alle Requisiten mit nach Berlin nehmen –

bis auf eine. Den Tisch, der sich immer von allein deckt, hatte sich irgendein Schlitzer stibitzt. Bis heute trägt er zur Überversorgung des Schlitzerlandes bei. Ich würde schätzen, dass etwa ein Drittel der gesamten Auto- und Fahrradfahrten in der Provinz nur deshalb gemacht wird, um einen Salat oder Topf irgendwohin zu bringen, zurückzubringen oder abzuholen. Am Ende jedenfalls sind alle versorgt – und gut beschäftigt.

Dieses Prinzip ersetzt mit der Zeit andere, ältere Prinzipien, etwa das des olympischen Wettkampfes. Schlitz ist, um es kurz zu fassen, der Ort, der Karl Marx Freudentränen in die Augen treiben würde. Hier wird noch ehrlich und gern geteilt. Notfalls sogar die dritten Zähne. So wohnten in einem alten Fachwerkhaus einst die beiden Schwestern Knöttelbarth in großer Armut. Sie teilten sich aus Gründen der Sparsamkeit ein Gebiss, was so lange gut ging, bis sie von der Nachbarin beide zu einem Geburtstagskaffee eingeladen wurden. Sie entschieden sich, dass erst die eine, dann die andere hingehen sollte. Nach einer Stunde kam die jüngere vom Kaffee nach Hause und überreichte der älteren Schwester Knöttelbarth das Gebiss. Diese machte sich sogleich ausgehfertig, verharrte kurz und sagte dann mit schwelgender Vorfreude: »Oh, Zwetschgenkuchen.«

Diese Mentalität des Teilens ist charakteristisch für das Schlitzerland. Damit wird der Mangel verwaltet. Aber genauso der Überfluss. Nur mit großflächigem Verteilen kann man alldem Herr werden, was da in den Gärten wächst. Das Ganze hat nur einen logistischen Fehler. Wenn einer zu viel Salat hat, dann haben alle zu viel Salat. Und wenn man selbst nicht weiß, wohin mit seinen Zucchini, kommt auch noch die Nachbarin, bringt zwei Riesenexemplare vorbei und erwartet, dass man sich freut. Einmal klingelte abends Tante Marthel. Meine Mutter war gerade dabei, mit der mittelalterlichen Küchenmaschine aus Johannisbeeren Saft zu pressen, der dann zu Marmelade eingekocht werden sollte. Da die Maschine so laut röhrte, hörten wir nichts, bis Tante Marthel dann an die Haustür klopfte. In der Regel strahlen die Spender schon, bevor man sie anspricht, weil sie wissen, was sie vorbeibringen, während der Empfänger noch ahnungslos in der Tür steht. So auch diesmal: Tante Marthel strahlte, in der rechten Hand einen prall gefüllten Korb. Darin standen sechs Gläser frisch eingekochte Johannisbeermarmelade, die sie meiner Mutter schenken wollte. Dagegen war an und für sich nichts einzuwenden. Allerdings wusste Tante Marthel nicht, dass gestern schon Tante Didl mit fünf Gläsern Johannisbeermarmelade vorbeigekommen war und heute morgen Tante Rosa. Wir wären also allein durch die Tanten-Fremdversorgung johannisbeermarmeladentechnisch gut über den Winter gekommen. Da gab es kein Entkommen. Man konnte ja unmöglich Frau Nietenbach wegschicken. Also versuchte meine Mutter das dankbarste Empfängerlächeln zu strahlen, nahm die Gläser und stellte sie in den Keller zu den anderen Johannisbeermarmeladen.

Es ist in einem so eng geknüpften System kaum möglich, sich unauffällig von etwas zu trennen. Erst der massive Zuzug von Aussiedlern führte dazu, dass die Sperrmüllbestände vor den Haustüren endlich einmal vor dem Eintreffen des Müllfahrzeuges leer geräumt wurden. In den Jahren zuvor hatte die soziale Kontrolle aber auch jeden davon abgehalten, sich beim Nachbarn zum Beispiel einen Stuhl zu holen, es hätte ja sonst morgen heißen können, es gehe einem finanziell schlecht. Ganz zu schweigen davon, dass die Trennung vom Müll auch emotionale Tücken birgt. Für das Traditionsbewusstsein war bei uns zu Hause mein älterer Bruder, der Philosoph, zuständig. Er hatte einen großen Hang zu allem Alten, zu den meisten Dingen in unserem Haus hatte er seine Liebe längst entdeckt und zu den wenigen, die er bislang übersehen hatte, entdeckte er sie spätestens in dem Moment, in dem sie auf den Sperrmüll wandern sollten. Einmal versuchte meine Mutter es mit einem Trick; sie nahm einfach einige ausrangierte, riesige Glaskolben aus der Seifensiederei ihrer Tante und brachte sie

im Morgengrauen, als er noch schlief, zum Sperrmüll-
stapel drei Straßen weiter. Sie war erleichtert, dass er
noch immer schlief, als sie nach Hause kam und die
Glaskolben nun endlich entsorgt hatte. Zwanzig Minuten später klingelte es bei uns an der Tür. Es war Tante
Do, die freudestrahlend erzählte, sie habe die alten Glaskolben von Tante Erna unglaublicherweise auf dem
Sperrmüll bei Braubachs gefunden. Keine Ahnung, wie
sie da hingekommen waren, aber sie habe sie gleich eingeladen und alle wieder mitgebracht. Seit diesem Tag
liegen die Glaskolben übrigens wieder bei uns im Keller
und warten. Ob auf eine Renaissance des Seifensieder-
handwerks oder den nächsten Sperrmüll, darüber gibt
es noch immer unterschiedliche Meinungen.

Ein anderes Mal retteten mein Bruder und ich gemeinsam vom Komposthaufen des städtischen Friedhofs, auf
dem der Friedhofsgärtner Süß immer die großen und
kleinen Pflanzen entsorgte, einen alten, halb vertrockneten Rhododendron. Er blühte noch schwach lila,
manches Blatt war ledrig grün, die Wurzeln hatte man
offenbar recht achtlos aus der Erde gerissen, aber es
schien uns noch genug Wurzelmasse vorhanden, um
einen Versuch zu wagen. Wir hievten das Ungetüm also
in den Kofferraum unseres Wagens und brachten den
Baum mit Schubkarre und unter großem Ächzen in
unseren Garten. Um unsere Mutter zu überraschen,

pflanzten wir ihn rechts von den anderen Rhododen-
drons (Rhododendri? Wieder so ein Plural, den wir im
Lateinunterricht ausgelassen haben) in den Schatten der
Blautannenhecke. Wir schnitten noch sorgsam die tro-
ckenen Zweige ab, bevor wir ihn präsentierten. Doch
die Beschenkte schlug bloß die Hände vors Gesicht und
fragte verständnislos, woher in Gottes Namen habt ihr
diesen Rhododendron? Der stand doch auf dem Grab
vom Großvater von Herrn Kubileit!

Man sieht sich immer zweimal im Leben. Das ist das
erste Gebot der Provinz. Meist sieht man sich aber nicht
nur zweimal im Leben, sondern auch zweimal am Tag.
Nur manchmal dauert es ein bisschen länger. Irgendwann einmal räumten wir zu Hause die Küche aus und
stellten die alte Spüle auf die Straße zum Sperrmüll.
Beim Raustragen blickte ich zum letzten Mal auf den
Cuxhaven-Aufkleber mit dem kleinen lachenden Jan-
Cux-Jungen samt blauer Pudelmütze, der fröhlich
winkte. Ich weiß nicht, warum ich ihn jemals draufge-
klebt hatte, denn wir waren nie in Cuxhaven gewesen.
Besonders schön war er auch nicht, aber er hatte vor
allem deshalb große Bedeutung gewonnen, weil er nicht
mehr abging. Das hatte mir gehörigen Ärger einge-
bracht. Doch nachdem alle Versuche, ihn abzukratzen
oder mit Spiritus zu entfernen, gescheitert waren (beziehungsweise die Spüle zerkratzt hatten), blieb der Cux-

haven-Cux-Junge kleben, bis die ganze Spüle auf den Sperrmüll wanderte. Fünf, sechs Jahre später war ich wieder einmal in Schlitz und entdeckte, dass nach der Pizzeria, die in den achtziger Jahren eröffnet hatte, nun auch ein schicker Döner-Grill eröffnet hatte. Da die Pizzeria »Roma« hieß, hieß der Döner-Grill konsequenterweise »Antalya«. Weil ich Hunger hatte, bestellte ich einen Döner. Die Einrichtung war gemischt, aber der türkische Besitzer strahlte Enthusiasmus aus. Während er die Döner-Teigtasche mit den üblichen Utensilien voll packte, als sei sie eine Einkaufstüte, ließ ich meinen Blick wandern. Plötzlich stutzte ich. Unter dem zylindrischen Fleischklotz klebte auf der Spüle mein Cuxhaven-Jan-Cux-Junge. Auch dieser Entsorgungsversuch war also misslungen.

Und manchmal, da sieht man sich sogar dreimal im Leben. Als wir vor kurzem wegen eines Familienfests samt der ganzen Verwandtschaft nach Schlitz gereist waren, platzte unser Haus aus allen Nähten, und wir mussten uns Zimmer in einem Hotel suchen. Doch das einzige Hotel, das es seit längerem gab, und bei dem alle wussten, woran sie waren, hatte gerade geschlossen, und das andere, in dem ich in meiner Kindheit so gerne Krautsalat gegessen hatte, gab es schon längst nicht mehr. In dieser verzweifelten Lage erreichten uns plötzlich überraschende Neuigkeiten. Das lange geschlossene

Krautsalat-Hotel werde wiedereröffnet. Ein örtlicher Unternehmer hätte das Gebäude gekauft und versuche es jetzt als »Hotel Stadt Schlitz« neu zu beleben. Der örtliche Unternehmer war, wie sich dann herausstellte, der Döner-Mann. Als wir ankamen, waren gerade die ersten Zimmer fertig, er holte uns am Eingang ab, nahm die Koffer, stieg über Bretter durch den Bauschutt nach oben, stellte dann, als wir den frisch verlegten Teppich des Flures betraten, seine Bauschuhe achtsam zur Seite und lief barfuß weiter, als sei nichts geschehen. Er stellte die Koffer ab, wünschte einen angenehmen Aufenthalt und verabschiedete sich mit dem Hinweis, er müsse nun rasch rüber zum Döner-Grill, dort nach dem Rechten sehen, huschte hinaus, zog die Bauschuhe wieder an und war verschwunden. Es war die Zeit der Fußballweltmeisterschaft. Am Abend spielte Deutschland. Und Deutschland spielte sehr gut. Als wir spätnachts von der Familienfeier mit allen sechsundachtzig Tanten ins Hotel zurückkamen, stand vor unserer Tür eine Flasche Prosecco, daneben ein Zettel mit dem Wort »Glückwunsch«. Da widmen die Türken also erst unsere alten Spülen zu Döner-Grills um, bauen dann die Wirtschaftswunderruinen der alten Bundesrepublik wieder auf und gratulieren uns obendrein noch großzügig zum guten Fußballspiel. Ich denke, die EU-Beitrittsverhandlungen mit der Türkei können beginnen.

Sehr beruhigt war ich auch, als ich sah, dass das neue Hotel unten im Wirtsraum zwar noch nicht alle Fenster erneuert hatte, auf dem rechten Ecktisch aber schon wieder ein alter »Stammtisch«-Wimpel stand. Denn während die Damen des Ortes sich in der Skigymnastik, in Yogakursen und im Literaturkreis treffen, der in Schlitz wie anderswo von einem pensionierten Studienrat geleitet wird, bleiben die Männer der traditionellen Einrichtung des Stammtisches treu, um sich darüber auszutauschen, wer mit wem, wer was gesagt und wer wo zur Kur. Immer schon gab es zwei Stammtische, die zur Legende geworden sind, heute sind es etwa dreißig, die sich darum bemühen. Der erste legendäre Stammtisch hatte einen außergewöhnlichen Rhythmus für seine Treffen im Braustübchen gefunden. Er traf sich einfach jeden Tag. Und jeder trank dabei mindestens fünf Bier aus seinem Glas mit eingraviertem Namen im Zinndeckel. Dabei waren sämtliche Honoratioren des Ortes, und kaum ein wichtiges Geschäft der Stadt in den zwanziger Jahren wurde nicht bei den Dämmerschöpplern im Braustübchen verhandelt. Zugelassen waren der Forstmeister Seeger, der Dentist Popp, der Leinenfabrikant Schul, der Arzt Hövels, der Sägewerksbesitzer Merz, der Kaufmann Bert, der Steinmetz Metzendorf, der Schlosser Thöt, der Leinenfabrikant Kruppert und der Textilkaufmann Mohr – sowie, als assoziiertes Mitglied, der Berliner Bühnenbildner und

Maler Georg Heil. Diesem Stammtisch verdankte nun nicht nur die Brauerei einen gehörigen Teil ihres Umsatzes, sondern auch die ganze Stadt ihr Wahrzeichen. Denn in den zwanziger Jahren sorgten sich die Anwohner des Marktplatzes um ihren Schlaf, weil das aus den Haselwiesen zum Marktplatz emporgepumpte Wasser zu laut im Marktbrunnen plätscherte. So beschloss man, einen neuen Brunnen zu bauen, mit einer neuen Brunnenfigur – warum dafür in dieser erzprotestantischen Stadt ausgerechnet der Heilige Sankt Georg ausgewählt wurde, ist mir schleierhaft. Prompt protestierte auch der Pfarrer Knodt gegen diese Idee. Er wünschte sich stattdessen allen Ernstes eine Figur von Frau Holle. Dagegen protestierte dann wiederum die Denkmalpflege. Und auch der Graf. Und Geld war ohnehin keines da. Da fragte der Bürgermeister seinen reichen Onkel in Bukarest, und der stiftete einen Heiligen aus Sandstein, der gerade einen kleinen Lindwurm absticht. Doch noch immer reichte das Geld nicht, es fehlten fünfundsechzig Mark, also ungefähr die Schwanzspitze des Drachen. In diesem dramatischen Moment der Schlitzer Geschichte sprang der Stammtisch aus dem Braustübchen ein und stiftete das Geld. Seitdem plätschert bis heute das Wasser ganz leise am Marktplatz aus dem Mund eines erstochenen Lindwurms mit besonders langem Schwanz. Alle zwei Jahre, zum Abschluss des Trachtenfestes, wird das Brunnenbecken zum Tatort eines ähnlich gefährlichen Kampfes. Dann setzt der Fischer Peter Mühlacker drei ausgewachsene Aale in dem Becken aus, und die, die morgens um drei Uhr dazu noch in der Lage sind, steigen über den Rand und jagen sie. Wer einen Aal erlegt wie der Heilige Sankt Georg und mit der Gabel durchbohrt und anschließend aufisst, wird zum Volksheld. Muss dafür aber aus dem Schlitzer Tierschutzverein austreten.

Denn natürlich sind solche Informationen am nächsten Morgen in Windeseile rum in der ganzen Stadt. Schneller, als das Internet gucken und die Lokalzeitung drucken kann. Die zentrale Rolle bei dieser Informationsdistribution, welche früher die fürstlichen Ausrufer innehatten, spielen in der Provinz die Bäckereien. Dort treffen frühmorgens die ersten Nachrichten aus der vergangenen Nacht ein. Wer also wo die Zeche geprellt hat. Wer nicht nach Hause gekommen ist. Wer einen Unfall gebaut hat. Wer die Aale gegessen hat. Wo jemand gestorben ist und wo jemand geboren wurde. Von den Bäckern, vor allem von Frau Bäcker Linke, wird diese Kunde dann in die ganze Stadt zu den Frühstückstischen verteilt und von dort weiter in die Schulen und Betriebe. Wenn nachts etwas geschehen ist, weiß das gesamte Städtchen spätestens um neun Uhr davon. Ab zehn Uhr trägt dann der Postbote die aktualisierten Informationen von Haustür zu Haustür. Von dieser Geschwindigkeit und Versiertheit im verbalen Kurzpass-spiel draußen im Lande kann jeder Großstädter nur träumen. Das erklärt auch, warum die Heimatzeitung, der *Schlitzer Bote*, bis zum Ende des zwanzigsten Jahrhunderts nicht morgens erschien wie alle anderen langweiligen Zeitungen, sondern erst am frühen Nachmittag. Der Redaktionsschluss war gegen zehn Uhr morgens – so konnten immer die aktuellsten Ereignisse der Nacht vom Bäcker Linke noch bis zum Reporter gelangen und dann in aller Ruhe eingebaut werden. Als einmal unser Schulbus wegen Glatteis die Straße nach Fulda nicht hochkam und immer wieder runter-rutschte, drehte er schließlich um und brachte uns zurück. Sofort rannte ich zum *Schlitzer Boten*, um die Meldung noch unterzubringen. Ich freute mich diebisch bei dem Gedanken, dass meine ehemaligen Klassenkameraden in Schlitz, wenn sie um halb zwei erschöpft und genervt von der Schule nach Hause kamen, lesen konnten, dass wir Buspendler heute einen freien Vormittag gehabt hatten.

Doch ein paar Jahre später gab es die Nachmittagsausgabe leider nicht mehr, als es zur Fusion mit der *Fuldaer Zeitung* kam, nun gibt es die Lokalnachrichten wie überall sonst auch morgens ab sechs Uhr im Briefkasten, so macht die Globalisierung alles ein bisschen langweiliger und gleicher und unausgeschlafener. Da steht dann, wann der Singkreis der TSG zum Adventsnach-

mittag lädt, dass die freiwillige Feuerwehr in Üllershausen sich zur Jahreshauptversammlung trifft und
wann und wo Hutzelfeuer und Baumschnittkurse sind.
Allein die Vereine füllen zwei Drittel der Seiten. Der
Kaninchenzüchterverein, der Briefmarkenzüchterver-
ein, die Taubenzüchter, die Imker, die freiwilligen
Feuerwehren, die Kaufleute, die Volkstanzgruppe, der
Obstbauverein, der Schäferhundeverein, die Aquarien-
freunde, der Angelverein, der Männergesangsverein –
auf zehn Schlitzer kommt ungefähr ein Verein. So
unterschiedlich die Leidenschaften auch sein mögen, in
den Artikeln geht es immer nur um dasselbe. Um die
Sanierung des Vereinsheims, um Nachwuchssorgen und
um die Wahl von zwei neuen Kassenprüfern.

Etwaige Besonderheiten werden sofort ausgiebig ana-
lysiert. Etwa wenn der Gemischte Chor nicht am Sän-
gerwettstreit des Kreises teilnehmen kann, weil er Zweifel an der eigenen Qualität hegt. Wenn in den Wochen
der Vogelgrippenhysterie vier tote Enten gefunden werden (es war dann am Ende doch irgendetwas Normale-
res) oder der plötzliche Aufschub der Bauarbeiten an der
Landesmusikakademie den Leserbriefschreibern Sorgen
macht (es war dann doch kein Finanzproblem, sondern
nur der Frost). Da man alle Personen im Ort bereits
kennt und die meisten auch schon interviewt wurden
oder Leserbriefe geschrieben haben, sind neue Inter-
viewpartner natürlich begehrt. So kam es zu einer Stern-

stunde der Schlitzer Publikationsgeschichte dank eines Gesprächs mit »Einsiedler Willi«, der sich seit mehreren Tagen in einem Unterstand beim Getränkemarkt aufhielt. Der Interviewte zeigt sich freundlich, bleibt aber trotz mehrfacher besorgter Nachfrage des Reporters ein störrischer Verfechter seines Landstreicherdaseins. Willi, so erfuhr der Leser, malte in seinem Unterstand bei Temperaturen von minus zehn Grad auf Bierdeckel rührend krakelige Zeichnungen von Traumhäusern mit Palmen. Selbstverständlich wurden einige dieser Zeichnungen auch abgebildet. Aber der Landstreicher wollte seinen Unterstand und sein Bett aus Bananenkartons und Plastikplanen nicht verlassen. Das weckt die Fürsorglichkeit im Reporter: »Hoffentlich«, so schreibt er abschließend, »ist Einsiedler Willi bewusst, wie seine Gesundheit bei den starken Nachtfrösten in Mitleidenschaft gezogen werden kann.«

Dass man alles von allen weiß und wissen will, das hängt mit dem speziellen Informationssystem vor Ort zusammen. Diese Mund-zu-Mund-Propaganda wurde jahrhundertelang geübt, getreu der gräflich verfügten »Denunziationspflicht«. Dieser Pflicht wird bis heute täglich nachgekommen. Freundlich kann man sie als Interesse und Anteilnahme bezeichnen, unfreundlich als gigantische Neugier.

Das gesamte Städtchen und die umliegenden Dörfer befinden sich jedenfalls nicht nur in einem permanenten Austausch von reifen Früchten und Gemüsen, sondern auch von Informationen. Wenn gefeiert wird oder geschlachtet, wenn die Ernte eingeholt wird oder jemand stirbt, dann war und ist es selbstverständlich, dass alle Nachbarn und Bekannten vorbeikommen, den Fall ausgiebig besprechen, helfen, klatschen, aufpassen. Schlitz ist die Horrorvision von Georg Simmel. Der hatte einst die Kleinstadt als den Ort der totalen Beaufsichtigung der Bürger durch die Bürger beschrieben – und dagegen den Großstädter gerühmt, der »frei ist im Gegensatz zu den Kleinlichkeiten und Präjudizierungen, die den Kleinstädter einengen«. Einengen? Da können die Schlitzer nur lachen. Sie werfen Georg Simmel in die Ecke und stauben ihren Johannes Mario im Bücherregal ab. Und sagen »Pah!«. Schließlich ist es gerade diese besondere Form von Neugier, die die Einbruchquote in Schlitz seit Jahrzehnten weit unter dem deutschen Durchschnitt hält. Hier ist mein Bruder, der Arzt, einmal, nachdem er sich während des Studiums zwei Monate lang die Haare nicht geschnitten hatte, beim Aufschließen der Haustür von der Polizei festgehalten worden, weil ihn die Omas im Altenwohnheim gegenüber nicht erkannt hatten. Und da er zu schlecht frisiert war für einen Zeugen Jehovas und auch aus keinem vor der Tür parkenden Bofrost-Wagen ausgestiegen war, hatten sie die Polizei gerufen. Das waren die Zeiten, in denen er doch ganz froh war, der lähmenden Provinz entkommen zu sein, dem – wie ich es damals empfand – Gruppendruck, den Konventionen, der Engstirnigkeit, der Skepsis gegen alles Moderne. Kurz gefasst: den Geranien. Als auf seinem Auto ein Aufkleber mit »Pro Bonn« klebte, während die Hauptstadtdiskussion durch Deutschland walzte, bekam meine Mutter Post aus der Nachbarschaft: und zwar vom Kadettenadmiral a. D. Heinrich Karsteiner. Offenbar, so hieß es darin mit »kameradschaftlichem Gruß«, habe sie elementare Erziehungsfehler begangen, da ihr Sohn nun so ins linksradikale Milieu abgerutscht sei und die Menschen gegen Berlin aufhetze. Nicht ganz unverständlich, dass mein Bruder da Sehnsucht hatte nach Freiheit und weiter Welt und nach fremden Menschen, die ihn nicht kannten und nicht gleich anriefen, wenn er einen neuen Aufkleber auf dem Auto hatte. Doch irgendwann merkte er, dass ein Abwaschplan in der Studenten-WG strenger und jede AStA-Sitzung beklemmender sein konnte als alles, was er von zu Hause an Plänen und Sitzungen kannte. Und es schien ihm rückblickend fast leichter, beim provinziellen Straßenfest oder der Theateraufführung nicht mitzumachen, als später beim großstädtischen Kiffen. So viel anders ist es nicht in der großen Stadt, sie tut nur so, zudem hat sie alle sozialen Strukturen so aufgeweicht, dass sie einem nicht nur Freiheit schenkt, sondern auch, wenn es einem schlecht geht, eine Verlorenheit beschert, vor der einen in der Provinz die Tanten und Bäckersfrauen und Bademeister bewahren können. Und nicht erst, seit er ein paar heiße Sonntagnachmittage in einer Fußgängerzone in Frankfurt und Essen erlebt hat, die auf der Seele kleben wie ein alter, zäher Kaugummi, kann er sich sogar wieder vorstellen, irgendwann einmal als Landarzt nach Schlitz zurückzukehren. Der Kadettenadmiral ist längst tot, dafür aber manche der Mädchen, mit denen er nachts im Freibad schwimmen ging, noch quicklebendig.

Die Totalüberwachung durch Bademeister, Bäckersfrauen und Postboten hat im Lauf der Jahrhunderte zwei besonders schöne Worte entstehen lassen: Das heimliche Beobachten heißt »linze«, das heimliche Lauschen »lusse«. Wo dermaßen gelinzt und gelusset wird, entsteht natürlich ein Paradies für Klatsch und Tratsch. Und der bringt die Menschheit mindestens genauso voran wie neueste Forschungen in der Gen- und Raumfahrttechnologie. Der Evolutionsbiologe Robin Dunbar hat nachgewiesen, dass der Klatsch nicht nur als sozialer Leim für die Gesellschaft unverzichtbar ist. Die Notwendigkeit, den gesamten Datenmüll an Klatsch über entfernte Bekannte und Unbekannte abspeichern zu müssen, führte im Lauf der Jahrhunderte außerdem dazu, dass das Gehirn immer größer wurde. Und da entstand schließlich so viel Platz, dass sich die Schlitzer sogar noch weitere neue Worte ausdachten, wenn sie gerade über andere herzogen. Wenn man sich übers Ohr gehauen fühlt, ist man demnach »bedubschd« worden. Und wer »en olwel« genannt worden ist, weil er dummes Zeug »gefaseld« hat, ist meist »verkrombeld«. Aber zum Entkrumpeln kann er dann ja wieder darüber reden, was er bei anderen gelinst hat. So dreht sich das Rad immer weiter, und die Evolution kommt voran. Selbst lästern ist erlaubt, ja sogar geboten. Denn es war und ist wichtig, dass die Menschen innerhalb der Stadtmauern nicht nur allen moralischen Ansprüchen genügen, sondern auch ordentlich aussehen. Ansonsten greift Paragraf vierzehn der Schlitzer Stadtverordnung von 1706: »Diejenigen armen Leute aber, die hässlich gestaltet sind, sollen gleich von den Wachhabenden fortgewiesen werden und gar nicht hereingelassen werden.« Solchermaßen rechtlich abgesichert, wurde das Prinzip frühzeitig sehr frei interpretiert. So wird in meiner Heimat hemmungslos nicht nur über die Hässlichen gesprochen (über die eigentlich am wenigsten), sondern vielmehr über alles und jeden. Also über den Mann, der immer in alter Uniform einkaufen geht. Über die Sprechstundenhilfe, die bei den Hausbesuchen immer die Patienten besonders intensiv versorgt. Über die Preise, die man beim Büchsenwerfen auf dem Rummelplatz bekommt. Und natürlich auch immer wieder über den Sägewerksbesitzer, der zwar nicht singen kann, aber so regelmäßig zu den Proben des Männerchores kommt, dass sie ihn nicht rauswerfen können. Gesprochen wird natürlich auch seit Jahren über den Polizisten, der angeblich nachts Betonsäcke von den Baustellen des Ortes zur »vorübergehenden Sicherstellung« mitgenommen haben soll. Und natürlich über die Friseuse aus dem Osten, die sogar ihrem Cockerspaniel die Strähnen lila färbt. Über die Tante Anna, die immer einschläft, wenn man sie zum Kaffee einlädt. Und über den Bauer, der bald pleite ist (was immer gerade auf irgendeinen zutrifft). Aber natürlich auch über den, der sich einen neuen Traktor gekauft hat. Man kann im Prinzip über alles reden. Und das Schöne ist, dass man dabei, da man ja nur seine Pflicht erfüllt, kein schlechtes Gewissen haben muss. Darauf hat sogar die katholische Kirche reagiert. Im *Schlitzer Boten* findet sich immer häufiger folgender Hinweis: »Heute Samstag 17 Uhr – Beichtgelegenheit (solange Bedarf).«

Größerer Bedarf hingegen besteht manchmal an Anonymität. So fand ich es lähmend und bedrängend, dass mich jeder, egal ob Lateinlehrer, Bäckersfrau oder Müllmann, am Montag bedauernd ansah, nachdem ich am Wochenende beim Fußballspiel gegen Lauterbach zwei hundertprozentige Torchancen versemmelt hatte. In solchen Zeiten wünscht man sich, dass die Informationen etwas träger und spärlicher von Jägerzaun zu Jägerzaun, von Kneipe zu Kneipe springen würden. Ich fuhr gerade mit dem Fahrrad die Günthergasse hinunter, vorbei an Frau Klasen und ihrer »Heißmangel«, vorbei am »Sanitätshaus Ruckhäberle« mit den Prothesen im Schaufenster, vorbei auch an mit Bäumen bemalten Garagentoren, an Versicherungsbüros hinter weißen Gardinen, vorbei am »Salon der Dame« und der »Bastelstube«. Dann rauschten Häuser mit Blautannen im Vorgarten an mir vorbei, und ich sah schmiedeeiserne Briefkästen, die die Woche über hungern mussten und nur einmal, am Samstagnachmittag, mit dem neuen Anzeigenblättchen gefüttert wurden. Ich radelte am Lehrerparkplatz der Gesamtschule entlang, es war später Nachmittag, nur der Wagen des Sportlehrers stand noch da, ansonsten Leere. Der Parkplatz, dessen Fülle am frühen Morgen, wenn man gehetzt sein Fahrrad abschloss, etwas Bedrohliches hatte, wirkte nun ganz harmlos, friedlich fast. Doch eine neue Bedrohung ließ nicht lange auf sich warten, neben dem Aquariengeschäft in der Ringmauer überraschten mich unsere Verlierertrikots vom Wochenende, sie hingen zum Trocknen auf der Leine, jeden Sonntag musste eine andere Mutter ran. Diesmal hing mein Trikot mit der Nummer 9 also direkt an der Hauptstraße, ich fuhr noch einmal an meiner Schmach vorbei und hatte für eine Hundertstelsekunde den Geruch von frischem Waschmittel in der Nase, den ich immer so mochte, wenn wir in den verschwitzten Umkleidekabinen samstags unsere frischen Trikots anzogen. Ich fragte mich, ob wohl die Spieler von Schalke 04, wenn sie samstagnachmittags die Bundesligatrikots anzogen, auch immer erst kurz daran schnüffelten oder ob man mit solchem Unsinn aufhörte, sobald man eine Spielerfrau hatte. Andererseits: Schnüffeln war ja, zumindest in Schlitz, immer erlaubt.

Für alle Vergehen, die darüber hinausgehen, sind unter anderem die Polizisten Würzbach und Weichmann und der Stadtbrandinspektor Uecker zuständig. Nachts kommt noch der Bademeister mit der Überwachung des Freibades hinzu. Mehr Aufsichtspersonal ist nicht nötig, da die vier sich bei ihrer Tätigkeit ja – siehe oben – auf ein Informantennetzwerk von vielen hundert Personen stützen können. So fuhr mir einmal der Schreck in die Glieder, als ich samstagnachmittags Altpapier hinten im Wald verbrannte und dicke schwarze Rauchwolken in den Himmel stiegen. Das Feuer prasselte so laut, dass ich nicht hörte, wie plötzlich der Stadtbrandinspektor Uecker aus dem Unterholz trat. Seit Jahren verbrannte ich ständig irgendetwas direkt hinter unserem Haus am Waldrand, diesmal hatte ich das Glück, dass mein älterer Bruder endlich seine alten Motorrad-Zeitschriften aussortiert hatte und die vielen hundert Seiten, die ich ins Feuer warf, besonders große Rauchwolken hervorbrachten. Aus dem Unterholz trat also der Stadtbrandinspektor, umhüllt von Rauchschwaden. Er war in voller Montur, blaue Uniform, rote Abzeichen, blaue Schiebermütze, es fehlte nur noch, dass er in der linken Hand einen Schlauch bei sich hatte. Er sagte: »Ich hoffe, du weißt, dass das verboten ist.« Ich sagte völlig erschrocken: »Ja.« Das genügte ihm. Er drehte sich um, stieg wieder durch das Gestrüpp in den Wald und von dort in das unten auf der Straße parkende Feuerwehrfahrzeug, morsches Holz knackte unter seinen Stiefeln, hinten hackte irgendwo ein Specht.

Ein paar Tage später musste ich auf dem Rathaus meinen Pass erneuern lassen. Genau wie Bill Rocky war auch der Stadtbrandinspektor bei der Stadt angestellt. Diesmal hatte er seine blaue Uniform nicht an, sondern die übliche blasse graugrüne Beamtenkluft und begrüßte mich kurz durch das kleine Fenster. Dann füllte er den vorläufigen Personalausweis stoisch aus, als sei nichts gewesen, als hätte ich nicht erst vor drei Tagen einen Einsatz der freiwilligen Feuerwehr provoziert. Seelenruhig ging er Kategorie für Kategorie durch, ohne eine Miene zu verziehen. Schließlich kam er zu »Besondere Kennzeichen«. Da blickte er kurz auf und sagte: »Da trage ich mal ›Pyromane‹ ein.« Ich dachte, er mache einen kleinen Scherz, und sagte »Jaja«. Aber er tat es wirklich.

Ansonsten greift das örtliche Aufsichtspersonal zu eher sanften Erziehungsmethoden. Wenn mich die Polizisten anhielten, weil ich nachts ohne Licht gefahren war oder später mit dem Auto zu schnell durch den Ort gebraust war oder jemand die Vorfahrt genommen hatte, bekam ich eine lange Predigt zu hören, die immer mit dem Hinweis schloss, dass ich noch Glück gehabt hätte, denn ich hätte ja auch eine Frau mit Kinderwagen oder Gehhilfe überfahren können. Dann ließen sie mich weiterziehen und sagten zum Abschied den bedeutungsschwangeren Satz: »Denk einmal darüber nach.« Das sagten sie immer, auch wenn man gerade bei Glatteis eine Beule ins Auto gefahren oder auf der Kirmes zu viel getrunken hatte. Sie straften nicht, sie mahnten zur Einsicht. Die antiautoritäre Erziehung hat es in Hessen also sogar bis in die Polizeistuben gebracht. Wahrscheinlich setzen sie auch darauf, dass das Gehirn nicht nur durch das Weitertragen von Klatsch weiterwächst, sondern auch durch das Nachdenken. Der zweite Züchtigungssatz wurde neben Polizisten (wenn man mit Steinen die Scheiben der verlassenen Gärtnerei zerworfen hatte) auch von Lehrern (wenn man alte Schulbrote unter die Schultische gesteckt hatte) und von Passanten, die von Schneebällen getroffen wurden, gebraucht. Er lautete kurz und bündig: »Machst du das zu Hause auch?« Es half dann nichts zu erklären, dass man zu Hause natürlich keine Scheiben einwerfe, da man zu Hause auch keine verlassene Gärtnerei habe, und auch keine alten Schulbrote unter die Schultische stecke, da es keine Schultische gäbe und schließlich auch keine wildfremden Menschen mit Schneebällen bewerfe, da man zu Hause ja alle namentlich kenne. Mit solcher Logik kam man nicht weit. Nur einmal an jenem Tag, als mich der Stadtbrandinspektor beim Zündeln erwischte, hat sie geholfen. Denn dass er so kurz angebunden war, lag höchstwahrscheinlich daran, dass er in solchen Fällen sonst immer den Satz »Machst du das zu Hause auch?« sagte. Aber da er mich ja gerade dabei entdeckt hatte, wie ich es zu Hause machte, konnte er mich schlecht danach fragen.

Seit ich in Berlin lebe, höre ich die Frage von Polizisten leider immer wieder. Wenn ich jemandem die Vorfahrt nehme, halten sie mich an, sagen ermahnende Worte und dann: »Denken Sie einmal darüber nach.« Und als ich diesen Sommer einmal an einer menschenleeren Kreuzung bei Dunkelgelb über die Ampel fuhr, kam dummerweise gerade eine Polizeistreife des Weges. Die zwei Polizisten im Auto hielten meinen Wagen mit einer Kelle theatralisch an, quälten sich dann genüsslich aus ihren Sitzen und bauten sich vor mir auf. Der eine zog mit beiden Händen am Gürtel seine hängende Hose hoch und sprach: »Guten Tag, ich bin Hauptkommissar Korittke, und das ist mein Kollege Freier.« Und dann platzte es aus Kollege Freier schon heraus: »Machen Sie das zu Hause auch?!« Doch damit konnten sie mir in diesem Fall nicht kommen. Denn zu Hause haben wir keine Ampel.

4. Kapitel

Weltspartag

In welchem erzählt wird, warum der
siebzigjährige Börsenmakler eine
Garagenfirma gegründet hat, um Altbier
und Sprudel zu verkaufen.
Wo die Schuster und Tante-Emma-Läden
die Schilder »Total Räumungsverkauf
wegen Geschäftsaufgabe« kaufen.
Nebst einer Erinnerung an das »rollende
Kaufhaus« und einer Beschwörung
des kurzen Moments, als Schlitz fast zum
Silicon Valley geworden wäre.

Dass es wirtschaftlich bergab ging mit Deutschland, merkte ich beim Tischtennis. Und das lag nicht daran, dass das Netz so durchhing wie die Kurve des mauen Wirtschaftswachstums, die sie immer in der »Tagesschau« zeigten. Denn Tischtennisnetze hängen immer durch, egal zu wem man geht, egal wie neu sie sind, es gehört dazu, dass sie ab dem zweiten Tag in der Mitte auf halbmast hängen, da kann man noch so viel an den beiden Pfosten mit dem Gummiband herumzuppeln und noch so sehr versuchen, die beiden Tischplatten mit dem Schraubteil unter den Pfosten auf eine Höhe zu bringen. Dass es wirtschaftlich bergab ging, merkte ich vielmehr daran, dass wir Tischtennis an einem Ort spielten, der zu den goldenen Zeiten eine andere Bestimmung gehabt hatte. Denn die Tischtennisplatte von Klöppings, den Eltern meines besten Freundes Gunnar, stand auf dem Boden ihres Hallenbades. Im Hallenbad war kein Wasser, ja, die grellen meeresgrünen Kacheln, mit denen es fein säuberlich ausgekleidet war, hatten in ihrem ganzen Leben kaum ein anderes Wasser gesehen als das Putzwasser, mit dem Frau Klöpping alle paar Monate mal die Staubflusen und die Spuren unserer

Tischtennisschlachten entfernte. Dafür, dass kein Wasser im Hallenbad war, gab es tatsächlich einen Grund – es war, wie mir Gunnar zuraunte, »wegen der Ölkrise«. Ich war noch zu jung, um die wirtschaftlichen Zusammenhänge zu verstehen, und es war auch nicht erlaubt, Gunnars Vater danach zu fragen. Der Keller war im besten psychologischen Sinne die Tabuzone ihres Hauses. Irgendwann hörte ich schließlich auf, Gunnar deswegen zu löchern. Ein leeres Hallenbad gab nämlich im Grunde einen sehr guten Standort für eine Tischtennisplatte ab. Es hatte den riesigen Vorteil, dass man nie lange nach einem Ball suchen musste. Außerdem war die Akustik herrlich, weil jedes Aufdoppen des Balles fünffach von den Wänden widerhallte. Nur dass auch bei diesem Hallenbad der Boden deutlich von vorne nach hinten absank, war etwas hinderlich, aber man spielte immer eine Partie »von oben«, also der eigentlich als Nichtschwimmerseite gedachten Hälfte, dann eine »von unten«. Wer von unten spielte, hatte den besseren Schläger – den roten mit den vielen Gummischichten und der glatten Oberfläche, mit dem man die Bälle übers Hängenetz schnibbeln konnte –, derjenige im Nichtschwimmerbereich bekam den blauen Billigschläger mit den kleinen Noppen, die man sonst nur von den Sprudelflaschen kennt, und bei dem die Schläge immer klangen, als spiele man mit einem Frühstücksbrettchen.

Gunnar und ich spielten eingekachelt Partie um Partie, Jahr um Jahr, bis uns ein leeres Hallenbad als der natürliche Lebensraum einer Tischtennisplatte erschien, ja, manchmal wunderte ich mich richtig, wenn ich sah, dass andere Menschen ihre Platten frei auf der Wiese rumlaufen ließen. Als ich letzte Weihnachten, fast zwanzig Jahre nach dem letzten Match, mal wieder die Klöppings besuchte, erzählten sie mir begeistert davon, dass sie sich jetzt ein schönes Ferienhaus in Spanien gekauft hätten. Auch stand ein neuer Mercedes vor der Tür. Es schien, als sei die Ölkrise also endlich überwunden. Doch dann fragte mich Gunnar, ob wir nicht in den Keller gehen und wie damals eine Partie Tischtennis spielen wollten. Die Platte stand also noch immer im Keller, obwohl die Ölkrise zwischendurch mal als überwunden galt. Offenbar hatte Gunnars Vater diesen Zeitpunkt verpasst, denn nun war ja längst eine neue Ölkrise im Gange. Eigentlich, so erzählte Gunnar, hätten seine Eltern das Schwimmbad ja gebaut, weil sie so gerne schwimmen würden. Aber seit es das neue Thermalbad in Bad Salzschlirf gibt, fahren sie einfach zweimal die Woche dorthin.

Das leere Hallenbad von Klöppings ist das Schlitzer Denkmal der Ölkrise, eine Ruine der ausgehenden Wirtschaftswunderzeit, mahnend, still, tapfer. Es kündet davon, dass die Krisen sehr schnell auch auf dem Land ankommen – vor allem aber kündet es davon, dass es sich meist nicht bis aufs Land rumspricht, wenn die Krise wieder vorbei ist. Und schon hat die nächste Krise begonnen. Aber wie will man es den Schlitzern verdenken? Bei allen anderen Krisen merkte man schließlich sehr genau, dass sie nicht aufgehört hatten, im Gegenteil. So schlossen erst die großen Leinenwebereien, die die Stadt groß gemacht hatten. Nur wenige konnten sich halten, die Textilfabriken mussten schließen, die Wirtschaftswunderzeit ging zu Ende, ganz langsam, aber doch spürbar, so wie auch der Fluss Schlitz durch das Tal fließt. Erst gab es hier Entlassungen, dann dort; anfangs schloss die eine oder andere Abteilung, später die ganze Fabrik; kurzzeitig wurden Turnschuhe für Adidas genäht, bis das dann alles in Indien erledigt wurde. Nur in der Kreissparkasse und in der Volksbank gab es nie Entlassungen, da arbeiten bis heute noch im Wesentlichen die gleichen Personen, zu denen ich schon als Siebenjähriger am Weltspartag mein erstes Sparschwein gebracht habe. Am liebsten brachte ich das Geld zu Tante Rosas Sohn Moses, dem Mann an der Kasse, der bis heute nebenbei noch Fußballschiedsrichter, Büttenredner beim Karneval und Nachtwächter beim Heimat- und Trachtenfest ist. Die Kreissparkasse und die Volks- und Raiffeisenbank, das sind die einzigen Kontinuitäten im heimischen Wirtschaftsleben, wie überall kann man sie daran unterscheiden, dass vor der Raiffeisenbank eine kleine Rampe steht, damit die Bauern ihre Düngemittel einladen können, und bei der Kreissparkasse ein markierter Parkplatz mit dem Nummernschild des Direktors. Fiese mafiotische Trickbetrüger versuchen ja heutzutage, uns unaufhörlich an unseren nostalgischen Gefühlen zu packen, wenn sie uns wieder spätnachts fingierte E-Mails vom Volksbanken- und Raiffeisenverband in unsere städtischen Mailboxen schicken mit irgendwelchen »Dringend«- oder »Achtung«-Hinweisen in der Betreffzeile. Doch wer je eine solche Bank samt Düngemittelrampe gesehen hat, der weiß, dass es hier die Kategorie »Dringend« nicht gibt.

In Schlitz jedoch gibt es leider die Post nicht mehr, die Briefmarken und Paketkarten werden heute – mit perfektem Service und Portovorschlägen – im Motorrad-Center verkauft, und dort, wo es einmal Elektronikgeräte zu kaufen gab, wird seit gefühlten zwanzig Jahren mit einem Zettel im Fenster nach einem Nachmieter gesucht. Die Angestellten in der Kreissparkasse und der Volksbank aber bleiben. Neu hinzugekommen sind nur die Tankstellen, die an jedem Ortsausgang ihr Aral-Blau oder Shell-Gelb in den abendlichen Himmel senden und die auch in Schlitz die Funktionen übernommen haben, die früher Tante-Emma-Laden, Jugendzentren und Kneipen erfüllten. Die Ölkrise also scheint endgültig überwunden.

Nahezu unverändert ist nur der Mittelstand geblieben, die Schreiner, die Automechaniker, das Sanitätshaus, die Heißmangel, die Friedhofsgärtner und natürlich die Heizungsmechaniker, die braucht man auch weiterhin in der Provinz. Aber auch der Mittelstand ist leider ein Stand, dem in Schlitz immer öfter die Mittel fehlen. Untrügliches Zeichen dafür ist eine sehr bedrückende Schaufensterdekoration. Ich kenne sie seit Jahren, jedes Mal, wenn ich für ein paar Tage nach Schlitz komme, finde ich sie in einem anderen Laden. Die Worte sind immer die gleichen: »Total Räumungsverkauf wegen Geschäftsaufgabe«. Total Räumungsverkauf wegen Geschäftsaufgabe – mit diesen vier Worten, in schwarz, manchmal rot, meist gelb, wird der schwarz-rot-gelben deutschen Provinz die Globalisierung ausgeschildert. Mein Patenonkel, der Lateinliebhaber mit Hang zu schönen Frauen und großen Motorrädern, kommentierte solche Formen des Niedergangs immer mit »Sic transit gloria mundi«. Das wäre ein schöner Spruch für die Schaufenster meines Heimatortes, doch bislang hat er sich nicht etablieren können.

Neulich hat es den Kofferladen Schubert getroffen. Über dem Fenster steht in Leuchtschrift »Seit 1846«, daneben ein quadratischer Koffer, der aus dem Mittelalter zu kommen scheint und der auch in meiner Kindheit noch die Taschenmode bei Schubert beeinflusste. Aber das störte damals niemand. Man kaufte bei Schubert, wenn man eine Tasche brauchte. Jetzt muss niemand mehr bei Schubert kaufen. Denn jetzt muss Herr Schubert die Kataloge seines Büromaterialversands durchschauen, bei dem er jahrzehntelang Quittungsblöcke bestellt hat, auf die Seite mit »Insolvenz« blättern und dann entscheiden, ob er den Schriftzug »Total Räumungsverkauf wegen Geschäftsaufgabe« lieber in Gelb, Rot oder Schwarz bestellen will. Das gehört sicher für alle Betroffenen zu den traurigsten Minuten des Berufslebens im Windschatten des Kapitalismus. Ein Alptraum, wenn man sich plötzlich fragen muss: Wo kauft man diese Schriftzüge? Bekommt man die geschenkt, weil der Verkäufer weiß, dass der Käufer sie ohnehin nicht bezahlen kann? Und reichen sich die Geschäftsleute im Ort diesen Schriftzug solidarisch weiter wie eine Flasche Korn in der Kälte, wenn sie es hinter sich haben und der traurige Moment gekommen ist, an dem der Nächste befallen ist?

Wirtschaftsleben in Schlitz verlief in den letzten zwanzig Jahren wie die Reise nach Jerusalem. Immer ein Stuhl weniger. Und dann fliegt wieder einer raus. Es gibt verschiedene Formen, sich dagegen zu wehren. Selten von Erfolg gekrönt ist der Versuch, auf neue Moden oder veränderte Zustände nicht weiter einzugehen. Nachdem wir uns entschlossen hatten, die *FAZ* nicht mehr nur hin und wieder zu kaufen, sondern tatsächlich zu abonnieren (ich drängelte wegen der Fußballberichterstattung des Sportteils), warteten wir vergeblich eine Woche, obwohl die Lieferung längst hätte beginnen sollen. Doch die Zeitung kam nicht. Der Winter war wahnsinnig, die ganze Stadt zugeschneit, doch irgendwann wurde es meiner Mutter zu bunt, sie wollte dringend den Fortsetzungsroman weiterlesen, und so stapfte sie trotz des Schnees zum Schreibwarenladen Kuchatschik. Kuchatschik ist in einem kleinen Fachwerkhaus unten am ehemaligen Kaiser-Bahnhof untergebracht, das so schmal ist, dass die *Bild*-Zeitung nur geknickt auf den Verkaufstresen passt. Als sie die Ladentür geöffnet und den lang gezogenen Bimmelton ausgelöst hatte, kam Herrn Kuchatschik vom Wohnraum im hinteren Teil des Hauses nach vorne. »Gut, dass du kommst«, sagte er dann (der meine Mutter noch aus dem Konfirmandenunterricht kannte), »wir haben hier schon seit einer Woche die *FAZ* für euch gestapelt, angeblich habt ihr die jetzt abonniert.«

Langfristig ebenso wenig von Erfolg gekrönt war aber auch das Verfahren von Wellers »Frische Früchte« am Marktplatz. Herr Weller war in meiner Kindheit einer der großen Wirtschaftskapitäne von Schlitz. Er trug einen weißen Kittel, das schwarze Haar kämmte er sich alle paar Minuten mit einer formvollendeten, dennoch beiläufigen Geste zurück, erst über dem linken Ohr, dann über dem rechten. Auf der Brusttasche stand gestickt in Schreibschrift »H.-W. Weller«. Und drunter »Frische Früchte – ein Stück Lebensqualität«. Er war und ist sehr nett, und seine Manieren waren tadellos. Heute würde jemand wie Herr Weller sicher als Moderator berühmt werden. Damals ging es nur um die Anmoderation von frischem Salat. Abends fuhr Herr Weller seinen Kunden auf Wunsch mit einem Opel Kombi die schweren Einkaufstüten auch galant nach Hause – ohne Aufpreis. »Frische Früchte«-Weller war ein altes traditionsreiches Unternehmen und Herr Weller überzeugt von der Qualität seiner Ware, deshalb trübte es seine Laune nicht, als eine Supermarktkette in Schlitz mit der ersten Filiale Fuß zu fassen versuchte. Wieso sollten die Menschen zu Aldi gehen, wo sie doch seit Jahrzehnten bei ihm gut mit frischer Ware bedient wurden? Doch irgendwann kam der zweite Supermarkt. Und die Menschen am Ort merkten, dass ein Salatkopf nicht 1,98 Mark kosten musste wie bei »Frische Früchte«-Weller, sondern für 78 Pfennig genauso gut schmeckte. Als selbst die Damen von der Skigymnastik, die im Ort den Diskurs über die wichtigsten Läden bestimmen, beschlossen, dass man nicht mehr bei »Frische Früchte«-Weller einkaufen könne, weil es zu teuer sei, wusste Herr Weller, dass er dem Fortschritt seinen Tribut zollen musste. Als Tante Marthel eines Tages mit ihm sprach, sagte er ihr, er kaufe den Salat teurer ein, als er im Supermarkt verkauft werde. Da müsse man frühzeitig umdisponieren. Herr Weller war so klug, sich nicht länger als nötig gegen das Unaufhaltsame zu stemmen und seinen Laden zu schließen. Inzwischen ist er seiner Zeit wieder längst voraus. Einmal, als ich Weihnachten zu Hause war, sah ich Herrn Weller mit inzwischen grauem, aber immer noch perfekt gestriegeltem Haar im riesigen Supermarkt seinen Einkaufswagen durch die endlosen Regalreihen schieben. Doch dann packte er seine Einkäufe in einen Korb, sprang auf sein Rennrad und war auf und davon.

Der Spar-Markt von Herrn Fegisch ging einen anderen Weg als »Frische Früchte«-Weller. Sein Kerngeschäft war die direkte Konkurrenz zu »Frische Früchte«-Weller, lag aber viel näher an unserem Haus. Meine Mutter hatte ein sehr ausgeklügeltes System, nach dem sie entschied, welche Sachen sie bei Fegisch kaufte und welche bei Weller, damit keiner von beiden sich benachteiligt fühlte. Herr Fegisch setzte auf Expansion. An der Kasse des Kerngeschäftes saß Frau Zakschewsky, mit einer beeindruckenden Frisur in hohem Blond. Sie war freundlich, es gab alles und jedes, und der Laden lief. Als die Supermärkte und mit ihnen die Krise kamen, kaufte Herr Fegisch einen alten Bus, stellte ihn einmal die Woche mit Waren voll und fuhr mit seinem »rollenden

Kaufhaus« über die Dörfer. Das ging anfänglich auch gut, doch irgendwann merkte er, dass mittwochnachmittags niemand mehr kam, wenn er auf dem Dorfplatz stand und mit seiner Glocke läutete. Er fuhr die Gassen auf und ab und hupte. Doch nichts tat sich. Dann erfuhr er von einer alten Frau, die am offenen Fenster in der Küche Kartoffeln schälte, dass ihr Sohn, und die Nachbarn rechts und links auch, zum Einkaufen in die Stadt gefahren seien, zum Supermarkt. Da ahnte Herr Fegisch, dass die Zeit des rollenden Kaufhauses schon wieder an ihr Ende gekommen war.

Als Fußnote sei in diesem Zusammenhang das schlechte Gewissen als disziplinierender Faktor im Wirtschaftsleben der Provinz erwähnt. Friseure zum Beispiel. Es hatte sich eingebürgert, dass sich jeden Samstag und vor jedem Feiertag meine Mutter und alle meine Nenntanten dort trafen. Es ist der beste Friseur weit und breit und sehr freundlich obendrein, drum ist der Andrang immer groß. Wenn meine Mutter zurückkam, hatte sie nicht nur eine neue Frisur, sondern wusste auch, wie das Wetter in der nächsten Woche werden würde, wer gerade wo zur Reha war und wer angeblich was mit wem hatte. Das lag nicht am Friseur und den Friseusen, die hatten eine große Berufsehre und schwiegen wie ein Grab – lauschten aber selbst dem angeregten Ortsgespräch der Kunden. Die Damen trafen sich, um die Haare »gelegt« zu bekommen, alle versanken in Wolken aus Gard oder Taft, und ihre Haare sahen hinterher aus wie feine Gewebe aus Zuckerwatte, die niemand anfassen durfte. Das Ozonloch war nach diesen Haarsprayorgien samstagnachmittags über Schlitz besonders groß. Hätte es damals schon Google Earth gegeben, hätte man durch das Loch gucken können.

Unsere Nachbarin, Frau Nietenbach, die seit ihrer Jugend bei einem anderen Friseur gewesen war, versuchte sich immer sehr langfristig über eventuelle Urlaubszeiten sowohl des Friseursalons als auch ihrer zuständigen Friseuse zu informieren. Denn in dieser Abwesenheit hatte sie das Gefühl, ohne schlechtes Gewissen zum Friseur nach Fulda fahren zu können. Sie hätte es nie übers Herz gebracht, ihren Schlitzer Friseur im Stich zu lassen – und sich dem Verdacht auszusetzen, Verrat an der heimischen Wirtschaft zu begehen. Doch sie genoss es, wenn sie nach Fulda fuhr, nebenher auch noch einen Einkaufsbummel bei Karstadt zu machen. So fuhr sie nur nach Fulda, wenn sie glaubte, ihrem Schlitzer Friseur klar machen zu können, dass er zu diesem Zeitpunkt ja »leider in Urlaub« gewesen sei. Ein sehr kompliziertes Konstrukt, das auch permanenter Abstimmung mit allen Bekannten und Verwandten bedurfte, damit sich keine verplapperte. Irgendwann fand sie aber Gefallen an diesem Versteckspiel. Sie ließ sich von meiner Mutter und meinen Tanten auch nicht zum Überlaufen zu einem anderen, guten Schlitzer Friseur überreden. Noch als sie sehr alt war, musste meine Mutter Frau Nietenbach nach Fulda fahren und quasi inkognito beim Friseur einschleusen, der dort »Coiffeur« hieß. Aber irgendwann wurde klar, dass es Frau Nietenbach weniger um die Frisur als um die Törtchen in der Feinkostabteilung bei Karstadt ging.

Auf dem Land weiß also jeder noch, für wen er etwas produziert – und sei es eine Hochfrisur. Dass sich andere das Gleiche denken, ignoriert er gerne. Betroffen ist davon aber nur der bargeldlose Güterverkehr. Sobald Geld fließt, richtet sich das Angebot streng nach der Nachfrage. So weiß der Braumeister in der Auerhahn-Brauerei genau, wer wie viel von seinem Bier trinken wird: er selbst, sein Nachbar und Schlotze-Karl – zumindest so lange, bis er wieder in die Ausnüchterungszelle gesteckt wird. Der Bäcker Linke weiß, dass er die Sesambrötchen nur für Frau Ziegenbarth und deren Tochter bäckt. Und der Schreiner weiß, dass er bei dieser Bank die Ecken abrunden muss, weil der Sohn von Frau Mannheim zurzeit wieder seine anthroposophischen Anwandlungen hat. Produzent und Abnehmer kennen sich fast immer persönlich. Dieses System hat große Vorteile. So wandte sich der Leiter des Schlitzer Postamtes, als er erfuhr, dass die Filiale geschlossen werden sollte, weil statistisch gesehen nicht genug Briefmarken verkauft wurden, um ein ganzes Postamt zu rechtfertigen, an Frau Kostolnik vom Kaninchenzüchterverein. Frau Kostolnik saß bei Opel in Rüsselsheim in der Poststelle, und gemeinsam heckten sie einen Plan aus. Da es Opel ja einerlei ist, woher die Briefmarken für die tausend und abertausend Briefe kommen, die man in Rüsselsheim aufgibt, wurden diese jahrelang in Schlitz gekauft. Immer montagmorgens fuhr Frau Kostolnik aus Schlitz nach Rüsselsheim und hatte einen Koffer dabei, der bis oben mit Briefmarken gefüllt war. So blieb das Postamt erhalten. Dass Opel inzwischen in finanzielle Schwierigkeiten geraten ist, dafür konnte sie ja nichts.

Doch ich schweife ab. Das rollende Kaufhaus von Herrn Fegisch jedenfalls kam irgendwann zum Erliegen. Bald darauf sattelte er erfolgreich um und reduzierte sein Kerngeschäft auf das Kerngeschäft. Doch der kleine Markt von Herrn Fegisch überlebte trotz übermächtiger Konkurrenz von immer neuen, hässlichen Supermarktkästen am Stadtrand, dank der Stammkundschaft: nämlich sämtlicher Bewohner des nahe gelegenen Altenwohnheims und der in die Jahre gekommenen Vertriebenen aus dem Sudetenland in den umgebenden Häusersiedlungen. Das vorgerückte Alter und das hohe Aufkommen von Gehstöcken und Laufwägelchen haben den Vorteil, dass diese Kunden nicht

zu den Supermärkten am Stadtrand abwandern können. So ist das rollende Kaufhaus zwar inzwischen Geschichte und das Kerngeschäft ebenso, nicht aber die
sehr freundliche Frau Zakschewsky. Sie sitzt immer
noch an ihrer Kasse, so wie vor fünfundzwanzig Jahren.
Hinter ihr, wo einst der Laden war, steht inzwischen
zwar eine Wand, und in den Räumen dahinter sieht man
weiße Gardinen und ein paar Pflanzen mit dicken Blättern in roten Hydrokultursteinchen, die dieselbe Farbe
haben wie die Steine zwischen alten, stillgelegten Schienen. Doch die sehr freundliche Frau Zakschewsky verkauft weiter Morgen für Morgen ab 7.30 Uhr Brötchen
an die Damen und Herren aus dem Altenwohnheim.
Im Regal gibt es außerdem Konservensuppen und das
Nötigste für den Tag, die *Bild*-Zeitung, die Arztromane
»Dr. Norden«, ganz übersichtlich und reduziert, so dass
sich meine Tante aus Dresden immer an die Konsum-
Märkte in der DDR erinnert fühlt. Doch der Markt von
Frau Zakschewsky ist nicht rückwärts gewandt, sondern
modern. Er verzichtet auf jeden überflüssigen Schnick-
schnack. Wenn man diesen Laden sieht, merkt man:
Das ist die Zukunft, der erste Laden, der präzise auf die
alternde Gesellschaft zugeschnitten ist. Er wird einmal
sehr berühmt werden. Ab elf kommt niemand mehr,
dann sperrt sie zu. Ob es noch ein einträgliches Geschäft
ist, weiß ich nicht, aber Herr Fegisch sagt, man könne
es den Senioren im Altenwohnheim doch unmöglich

antun, dass sie morgens keine Brötchen mehr holen könnten.

Es gibt nur einen Ort, wo die Provinz weder verteufelt noch verherrlicht wird – das ist die Provinz selbst. Wer verstehen will, wie die Provinz eigentlich funktioniert, erinnere sich an die DJs, die, vom Lande gekommen, plötzlich in der Großstadt saßen und von spätnachts bis frühmorgens in den Clubs Musik auflegten. Die die alten Schallplattenspieler nahmen und mit ihren Händen die Schallplatten anhielten und weiterlaufen ließen – das nannte man, glaube ich, scratchen. Durch dieses sich abwechselnde Halten und Weiterlaufen entstand dann ein wupp-artiger Sound. Die Provinz ist ein DJ. Sie hält den Lauf der Zeit an, immer wieder, lässt sie wieder laufen, stoppt, und schafft genau dadurch einen ganz eigenen, neuen Rhythmus.

Wobei nicht unterschlagen werden soll, dass Schlitz nicht nur immer damit beschäftigt war, die Zeit anzuhalten. Sondern auch einmal versuchte, sie entscheidend voranzubringen. Ja, man kann sagen: Um ein Haar wäre Schlitz das Zentrum des internationalen Computerzeitalters geworden. Dass es am Ende dann doch Amerika wurde, war mehr oder weniger Pech.

Der Prophet der neuen Zeit hatte, wie es sich für einen Propheten gehört, einen stattlichen Bart. Er war ein heimatvertriebener Sudetendeutscher, geflüchtet nach dem Zweiten Weltkrieg wie viele andere auch. Er war aber nicht nur Vorsitzender der »Egerländer Gmoi«, sondern auch ausgemachter Exzentriker, immer eine dampfende Shagpfeife im Mund und eine Baskenmütze auf dem Kopf. Er hieß Carl Haensel, doch weil die Menschen auf dem Land noch ihre Märchen kennen, hieß er vom ersten Tag an »Hexe« Haensel. Bei uns in Schlitz ist ein Spitzname wie »Hexe« selbstverständlich zärtlich gemeint (auch die Bezeichnung »Sauratte« ist unter Freunden die größte Form von Respekt). Doch Hexe, der immer Cognac und Spessartwasser in großen Mengen trank und großen Humor hatte, war nicht nur auf traurige Weise heimatvertrieben, sondern auch sogleich auf neue und schöne Weise heimatverbunden: Er nähte in Heimarbeit nicht nur die Fahnen für die Umzüge der Egerländer Gmoi, sondern auch solche für das »Schlitzerländer Heimat- und Trachtenfest« und lagerte die Egerländer wie die Schlitzerländer Fahnen in trauter Zweisamkeit in seiner Fabrik. Denn Hexe war der Visionär unter den Schlitzer Wirtschaftskapitänen. Um ein Haar wäre er zum hessischen Bill Gates geworden. Das kam so: Hexes geheimnisumwitterte Firma war ein klassischer Betrieb der »Zulieferbranche«. Und er kam nach Schlitz, weil er dem Max-Planck-Institut für Fließgewässerforschung zuliefern wollte. Das Institut hatte es nach Schlitz verschlagen, weil in den fünfziger Jahren fünf Biologiestudenten aus Göttingen auf ihrer Bootstour die hessischen Fließgewässer hinab auch durch den Schlitzer Schlosspark gerudert waren. Auch wenn dieser Fluss, der ebenfalls Schlitz heißt, eher den Namen Schleichgewässer denn Fließgewässer tragen sollte. Papierschiffchen treiben darin, wie ich in zahlreichen Versuchen herausfand, von der einen Ecke des Parks bis zur anderen langsamer voran, als man es sich in seinen kühnsten Träumen vorstellen kann. Aber man soll ja auch nicht klagen, schließlich gibt es deshalb Seerosen in diesem Fluss, und das Wasser ist klar und rein, und wenn man vom Ufer schaut, dann sieht man die Rotaugen träge über dem Kies treiben. Genau dort, zwischen den gelben Seerosen, im Schatten der Hallenburg, entnahmen die fünf Studenten Wasserproben. Da sprach sie ein freundlicher älterer Herr an. Sie redeten über dies und das, und bald schon lud er sie für den Nachmittag zum Tee ein. Als sie ihn fragten, wohin sie denn kommen sollten, sagte er, »Na, in mein Schloss natürlich.« Wie sich herausstellte, war der freundliche ältere Herr der amtierende Graf Otto Hartmann. Und weil er ein entschlussfreudiger Mann war, schenkte er den Studenten beim zweiten Tee in seinem Schloss aus Begeisterung über die Gewässer-Ausstellung, die sie mit den Schlitzer Sportfischern 1949 auf die Beine stellten, gleich das große Gebäude am Parkeingang, das seinem Vater als Bildhaueratelier diente. Und das ehemalige Zollhäuschen nebst einem alten VW-Geländewagen aus dem Zweiten Weltkrieg ein wenig später noch dazu. Eigentlich hatten die fünf Studenten ihre Forschungsstation in Freudenthal an der Werra gründen wollen, doch dann wurde das Tal von Schlitz zu ihrem wahren Freudenthal. Aber auch dem »Institut«, wie es fortan hieß, war die Schlitz offenbar ein zu schleichendes Gewässer. Man wandte sich deshalb dem einzigen reißenden Strom des Schlitzerlandes zu – dem Breitenbach. Ein kleiner quirliger, wirbelnder Bergbach, der im Wald entspringt und sich dann seinen Weg durch die saftigen Wiesen und Weiden des Tales sucht, bis er in das Schleichgewässer der Schlitz mündet. Vierzig Jahre lang erforschte das Institut dieses Gewässer und machte es so zum besterforschten Bach der Welt. Kein Witz. Die Fließgewässerforscher stellten Gewächshäuser quer über den Bach, die täglich abgesammelt wurden, und fanden darin Tausende und Abertausende von bekannten und unbekannten Fliegenarten und anderen winzigen Insekten. Und weil sie ständig neue fanden, benannten die Mitarbeiter die neuen Arten erst nach ihren Freundinnen und dann – nach der Heirat – nach ihren Kindern.

Das Breitenbachtal war also eine Art deutsches Silicon Valley. Aber nicht nur das Institut wurde immer größer, auch die Zulieferindustrie wuchs. Erstens lieferte das Schlitzerland den meist männlichen Wissenschaftlern junge Frauen zwecks Heirat zu. Zweitens verkauften die

Schlitzer ihre alten Gewächshäuser an das Institut, die dann auf dem Breitenbach aufgestellt wurden. Leider wurde das Institut letztlich zu erfolgreich. Denn weil der Bach irgendwann einmal der besterforschte der Welt war, beschloss die Max-Planck-Gesellschaft traurigerweise, das Institut wegen Planübererfüllung zu schließen und die gesamte limnologische Forschung zu beenden.

Doch wer auf der Landstraße durchs Schlitzerland fährt und aufmerksam beobachtet, der wird einen kleinen Fluss finden, auf dem unzählige kleine Gewächshäuser stehen. Ihre Reste und Ruinen werden künftigen Archäologen eines Tages herrliche Rätsel aufgeben. Die dritte Zulieferbranche, die sich etablierte, war Hexe Haensels Lochkartenfabrik. Für die Statistiken ihrer eingesammelten Eintags- und Köcherfliegen brauchten die Biologen Speichersysteme – und da zählte Hexe Haensel eins und eins zusammen und zog in ein altes Fabrikgelände in der Nähe des Fußballplatzes und gründete sein »Lochkartenwerk«. Einer der fünf Göttinger Studenten promovierte über »Die Anwendung des Lochkartenverfahrens bei biologischen Untersuchungen« – und wurde später der Verleger des *Schlitzer Boten*. Die anderen vier wendeten das Lochkartenverfahren weiterhin selbst an. Erfunden hatte es ein nach Amerika ausgewanderter Deutscher mit Namen Hollerith. Die Lochkarten erlebten in den fünfziger und sechziger Jahren einen großen Boom. Die Möglichkeit, codierte Daten mit Löchern auf Karten zu speichern, erschien manchen wie der Beginn der Moderne. Mit langen Nadeln stachen die Geräte dann bei den Karten, die für eine bestimmte statistische Erhebung gebraucht wurden, die Löcher durch, die anderen blieben im Karteikasten – hört sich sehr kompliziert an, funktionierte aber tipptopp, und Hexe Haensel war der Gott. Er überzeugte meine beiden Onkel und viele andere, Aktien des Lochkartenwerks zu kaufen, erst verlöcherte er nur Informationen über Eintagsfliegen, bald schon arbeitete er für das Statistische Landesamt und viele Großunternehmen.

Das Schlitzer Lochkartenwerk war eine echte Vorhut der Moderne – Hexe Haensel war für Deutschland das, was Hollerith mit seiner Tabulating Machine Company für Amerika war. Doch irgendwie war die Moderne am Ende doch mal wieder schneller, als man in Schlitz dachte. Als die ersten Computer auf dem Markt waren, versuchte Hexe Haensel noch dagegenzuhalten und stanzte tapfer weiter. Bis er schließlich die einzige Lochkartenfabrik Deutschlands besaß, während die Kinder schon auf dem C 64 Computerspiele zockten und selbst die einfachsten Geräte eine Speicherkapazität hatten, die einer Milliarde Lochkarten entsprach. Die Maschinen bei Haensel ratterten weiter und stanzten Karten. Dann kam irgendwann das Ende.

Auf irgendeine Weise hat Herr Holleriths Tabulating Machine Company besser die Kurve gekriegt als das Schlitzer Lochkartenwerk. Hollerith nannte seine Firma eines Tages IBM, und die wurde zu einer der größten Computerfirmen der Welt. Die Lochkartenfabrik in Schlitz, Haensel und Co. KG, ging Pleite. Die riesigen Maschinen aber blieben stehen, Haensel brachte es nicht übers Herz, sie zu entsorgen. Jahrelang hatte er Deutschland mit Lochkarten versorgt und den Schlitzer Karnevalsverein mit Tonnen von Konfetti, indem er auf rührende Weise immer die ausgestanzten Papierscheibchen für den Fasching aufhob. Aber nun war es vorbei mit dieser Herrlichkeit. Wenn ich nebenan auf dem Fußballplatz Standardsituationen übte, hörte ich in den Wochen vor dem Trachtenfest das Rattern seiner riesigen Nähmaschine aus der Fabrik herüberdringen. Manchmal, wenn ein Ball übers Tor gegangen und bis zur Fabrik gerollt war, konnte ich beim Holen durch die zerbrochenen, milchigen Scheiben hineinschauen, und da sah ich ihn dann. Tapfer saß er in der Mitte der riesigen Fabrikhalle an einer Nähmaschine und nähte neue Fahnen fürs nächste Schlitzerländer Heimat- und Trachtenfest. Ein lebendes Industriedenkmal, ein liebenswerter Dinosaurier. Die Pfeife dampfte vor sich hin, und er reparierte die Nähte einer Brokatfahne, um ihn herum liefen die Hühner, die durch die zerborstenen Türen vom benachbarten Bauernhof herübergekommen waren.

Als die Old-Economy-Blase platzte, gab es in Schlitz allerdings nicht nur Verlierer. Es gab zum Beispiel Franz Müller. Er war der Redakteur des *Schlitzer Boten*, als dieser noch nachmittags erschien, und schon immer ein Mann von großer Herzlichkeit, aber auch von großem Realitätssinn. Als Herr Weller seinen Laden schließen musste und auch als es mit dem Lochkartenwerk zu Ende ging, bedauerte er dies zwar. Doch zugleich bemerkte er stets: »Der Markt diktiert.« Nachdem er pensioniert wurde, lebte er noch immer in jenem Schlitzerländer Dorf, in dem er lange Zeit Ortsvorsteher gewesen war. Als ich ihn einmal traf, erzählte er, dass er sich jetzt ein wenig mit der Natur beschäftige und auch etwas mit Aktien. Beides war stark untertrieben. Zum einen ging er jeden Morgen um sieben Uhr mit seiner Frau fast zwei Stunden durch die Wiesen und Wälder, über Stock und Stein, egal ob es stürmte oder schneite, das Ehepaar Müller geht auf die Pirsch. Keiner am Ort weiß so gut wie er, wo eine seltene Orchideenart wächst, wo der Wildverbiss wieder eine ganze Eichenanpflanzung zerstört hat und wo in der Schlitz Seerosen blühen.

Er schreibt jede Woche viele Artikel für den *Schlitzer Boten* und veröffentlicht Fotos von Eisregen, Sonnenaufgängen und Zugvögeln. Ein purer Romantiker, sollte man denken. Bis man erfährt, warum er immer schon um sieben Uhr morgens zu seinen Spaziergängen aufbricht. Franz Müller muss nämlich, bei aller Liebe zur Natur, um neun Uhr, wenn an der Frankfurter Börse der Parketthandel eröffnet, an seinem Computer sitzen. Dann widmet er sich seiner zweiten Leidenschaft. Unten im Wohnzimmer von Franz Müller ist alles wie immer, die Pflanzen sind gewachsen und wuchern so üppig auf der Fensterbank, dass man kaum noch ins Tal blicken kann. Dann geht es die kleine Treppe nach oben. Das ganze Treppenhaus hängt voller schöner Sonnenaufgänge, Zugvögel und Enten. Im ersten Zimmer links dann ein Schreibtisch: Viele Stapel Papier, an der Pinnwand hängen unzählige handschriftliche Notizen, und in einem Becher stecken Hunderte von Kugelschreibern. Auf den zweiten Blick allerdings entpuppt sich die vermeintliche Unübersichtlichkeit als professionelles System. Auf all den Zetteln findet sich zwar auch der eine oder andere Name von einem Arzt samt dreistelliger Telefonnummer. Die meisten Nummern sind jedoch sechsstellig. Die so genannten WKN-Nummern, mit denen man sich interessante Aktien notiert. Und dazwischen stehen zwei Bildschirme. Auf dem einen flimmern zahllose Börsentabellen und Kurven, während im Hintergrund n-tv läuft; auf dem anderen Computer handelt Franz Müller mit den ausgeklügeltsten Finanzprodukten und Derivaten. Er lässt sich von nichts ablenken, außer vielleicht von seiner Katze, die manchmal auf den Tisch springt und die Zettel durcheinander bringt. Beeindruckend ist dabei Franz Müllers große Gelassenheit. Er rückt bei seinen komplizierten Termingeschäften nah an den Computer heran, schiebt die Lesebrille etwas herunter, um die Zahlen auf dem Bildschirm besser lesen zu können, verfolgt die Kurse an vier verschiedenen Börsen gleichzeitig und schlägt dann zu. Viel Geld kann man schon mal allein damit verdienen, dass die einen noch nicht wissen, dass eine Aktie anderswo besonders gestiegen ist. Auch ansonsten scheint alles ganz einfach. Wenn in Korea die Börsen wackeln, dann weiß er, was zu tun ist. Verkauft dies und verkauft jenes. Wenn die Arbeitsmarktzahlen in Amerika soundso ausfallen, ebenfalls. Er unterrichtet mich gerade, welche neuen Medikamente eine bestimmte Pharmafirma bald auf den Markt bringen werde und warum es sinnvoll sei, deshalb jetzt Optionsscheine für fallende Kurse des direkten Konkurrenten zu kaufen, als es unten an der Tür klingelt. »Moment«, sagt er und steigt die Treppen hinab. Dann höre ich, wie er freundlich einen Nachbarn begrüßt und die beiden weggehen. Ich sitze oben vor den flimmernden Bildschirmen. Rote und grüne Linien schlängeln sich auf den Monitoren, ein aufgeregter Reporter aus New York berichtet von negativen Ausblicken der amerikanischen Chiphersteller. Eigentlich, so wird mir jetzt klar, ist Müller so erfolgreich, weil er die Börsen ab neun Uhr so genau beobachtet wie vor neun Uhr die Natur. Weil er überall die

Zeichen lesen kann, weiß er, wo ein Gewitter aufziehen könnte und wo ein Crash. Ich vermute, er schreibt bald ein Buch: »Durch Naturbeobachtung zur ersten Million«. Man muss nur die Lesebrille zurechtrücken, dann kann man alles frühzeitig erkennen. Auf einmal war der Börsenguru Franz Müller allerdings verschwunden. Nach fast zehn Minuten kam er zurück, blickte sofort aufmerksam auf den linken Bildschirm, ging dann zum rechten, gab noch im Stehen drei, vier Befehle ein, dann setzt er sich. »So«, sagt er lächelnd, »da hätte ich fast verpasst, rechtzeitig meine Chipaktien zu verkaufen. Und entschuldige, dass ich kurz runtermusste«, bemerkt er noch, »aber wir haben ja immer noch unten in der Garage den Getränkehandel.«

So also muss man sich das vorstellen in der Provinz. Da sitzt der siebzigjährige Pensionär oben in seinem Zimmer und handelt Optionsscheine auf taiwanesische Pharmaaktien, während er gleichzeitig unten in der Garage seit vierzig Jahren einen Getränkehandel betreibt. Abwerfen tue das zwar fast gar nichts mehr, sagt er. Aber er könne es den Leuten in der Nachbarschaft doch nicht antun, einfach seinen Laden zuzusperren. Da müssten die ja für jede Kiste Bier bis in die Stadt fahren.

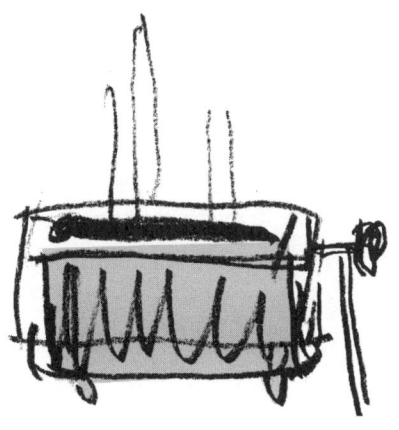

5. Kapitel

Heimatmuseum

In welchem abschließend gezeigt wird,
wie man hinter einem Traktor auf
der Landstraße die Langsamkeit verflucht.
Und dann entdeckt.
Wie Rasenmäher zu starten, Toasts
zu toasten und Duschmatten zu
zerschneiden sind. Nebst kurzen
Abstechern zum Baggersee,
nach Stalingrad und ins Funkloch.

Ich komme nicht raus. Seit einer halben Ewigkeit schon hänge ich in der Autoschlange hinter dem Traktor fest, eigentlich muss ich dringend weiter, um in Fulda noch den Zug nach Berlin zu kriegen, aber wir zuckeln mit Tempo 30 über die Landstraße zwischen Pfordt und Hartershausen wie eine Fronleichnamsprozession. Unsere Fahrt führt uns tatsächlich vorbei an lauter kleinen Holzkreuzen mit Blumen davor, die an Cindy, Babsi und Mario erinnern und daran, dass man auf diesen Straßen niemals zu schnell fahren sollte; mit einem von ihnen, Mario, hatte ich einst sogar zusammen Fußball in der C-Jugend gespielt, er war ein unglaublich guter Linksaußen. Es ist, als lasse mich die Heimat nicht so ohne weiteres gehen, als müsse ich mich von jedem einzelnen Quadratmeter Asphalt und jeder Linde an der Straße erst persönlich verabschieden. Oder als sei dieses eine Umerziehungsmaßnahme für hektische Großstädter. Was weiß ich. Wie man eben einen höheren Sinn in den Dingen sucht, wenn das Leben einfach nicht weitergehen will und es heiß ist. Und wie einen die dumpfe Trägheit hinterm Steuer ins Erinnern treibt, gleich hier vor allem, an dieser verführerischen Birke, deren Stamm auf halber Höhe plötzlich nach links ausschert und dann wieder zurückkommt, als mache sie hier jeden Tag einen lässigen Hüftschwung.

Die einzigen Zeichen von Elan, die der qualmend vor sich hin juckelnde Traktor vorne ab und an von sich gibt, sind kleine Erdbröckchen vom Feld, die in hohem Bogen aus den Profilen seiner riesigen Reifen auf die Straße schießen. Man ist der Langsamkeit hoffnungslos ausgeliefert, selbst Hupen ist sinnlos, denn mein Vordermann hat einen eindringlichen »Nicht hupen, Fahrer träumt von Schlitzer Bier«-Aufkleber am Heck kleben.

Und jetzt muss ich auf einmal an all meine Fahrten über diese Landstraße denken, hinaus zu meiner friedensbewegten Latzhosenfreundin auf dem Dorf, später dann zum Gymnasium, zur Arbeit, zum Zahnarzt, zum ersten Joe-Cocker-Konzert und zur Musterung beim Kreiswehrersatzamt. Oje, bloß schnell weiter, denke ich, aber der Traktor lässt mich nicht und hält mich fest in der Erinnerung. Hinter der Birke blökt ein Rapsfeld laut in den Himmel, dann Kühe, links kommt gleich der Ausblick in das große, tiefe, grüne Tal.

So zieht unsere Autokarawane übers Land, sie wird immer länger – den Traktor kann man nicht überholen, auch wenn immer mal kurzzeitig am Straßenrand ein rotweißes Schild hängt, mit einem schwarzen Traktor drauf und den Worten »Dürfen überholt werden«, was zwar nett ist, aber einem auch nicht weiterhilft, denn viel zu kurvenreich schlängelt sich die Straße zwischen Wäldern, Flüssen und Feldern hindurch. Rechts eine Weide mit Pferden, darauf ein Schimmel, dem der Sommerwind die helle Mähne ins Gesicht weht, und für einen Augenblick sieht seine Frisur exakt aus wie der Pony von Heidi Klum. Auf einmal dreht sich der Bauer auf dem Sitz um, es ist Bauer Michel, wie ich sehe, und ich hoffe erleichtert, dass er nun ein bisschen rechts ranfährt. Aber er nimmt nur seinen alten ölverschmierten Hut, winkt nicht Heidi Klum auf der Weide, sondern dem Heizungsmonteur Gegenbauer, der zwei Autos vor mir mit seinem weißen Lieferwagen in der Schlange tuckert, lachend zu und dreht sich dann wieder nach vorne. Die Polonaise geht weiter. Es könnte sogar sein, dass er vor lauter Wiedersehensfreude das Tempo seines Traktors noch ein bisschen gedrosselt hat. Na super. Da entdecke ich im Rückspiegel, dass drei Wagen hinter mir inzwischen auch Lukas in der Schlange fährt, ich hatte ihn erst gar nicht erkannt, aber offenbar hat er gerade wieder einen neuen Testwagen, diesmal ein rotes Ungetüm, das unglaublich röhrt und nach dem sich sogar die Kühe links auf der Weide umgucken, weil sie das mit Brunftgeschrei verwechselten. Jetzt wäre eine gute Gelegenheit zu überholen, hier gibt es sechzig, siebzig

Meter freie Sicht, ich schalte einen Gang runter, blicke noch einmal in den Rückspiegel, doch da ist es schon zu spät, von hinten schießt Lukas mit seinem roten aggressiven Stier an mir vorbei, winkt einmal gönnerhaft durchs Seitenfenster und ist mit einem lauten Brumm verschwunden. Ich setze den Blinker und will es ihm schnell nachmachen, da kommt uns schon auf der anderen Fahrbahn ein Wagen entgegengeschlichen, ich kann es auf den ersten Blick nicht erkennen, aber ich glaube, es ist Frau Nietenbach, die sich wahrscheinlich wieder einmal in Fulda die Haare hat machen lassen. Ich nehme den Fuß vom Gas, werde wieder braver Teil der Traktorprozession, und dann kommt der Gegenverkehr und, ja, es ist der Nissan von Frau Nietenbach, und ja, die Haare sehen nach viel frischem Coiffeur aus.

Wir zuckeln gerade von Hartershausen über Üllershausen, und ich habe Zeit, nach links zu schauen auf die kuriosen Hügel, die aussehen wie die Höcker einer verschütteten Herde von Dromedaren. Und dann ein Blick nach rechts, ins Tal, zum Pforder See hinab, zu den Fachwerkhäusern, den akkurat geschnittenen, kugelrunden Bäumen – es sieht alles aus wie aus einer Märklin-Landschaft ohne Schienen, dafür mit Radwegen. Ich muss an die Märklin-Landschaften im Keller von Herrn Trautenau denken, er war Lehrer an der Gesamtschule und kam sein ganzes Leben nicht darüber hinweg, dass er im Zweiten Weltkrieg als Offizier in der Nähe von Stalingrad eine vernichtende Niederlage hatte einstecken müssen, weil sich seine Panzereinheit ergeben musste. Ihr Fluchtweg führte durch ein Tal, das von einem stecken gebliebenen Zug blockiert war. In jahrelanger Arbeit baute er dann aus Pappmaché diese russische Wolgalandschaft in seinem Heizungskeller nach (Aurora-Mehl war Schnee und blaues Einwickelpapier geknüttelt die Wolga) und spielte mit Hunderten von Panzern und Soldaten immer wieder diese verhängnisvolle Situation der 6. Armee durch, bis er uns eines Tages nach dem Unterricht zu sich nach Hause einlud. Gestern, so sagte er, sei ihm etwas Bedeutsames gelungen. Er führte uns andächtig in den Keller. Dort sah man die riesige Märklin-Landschaft mit Panzern und Soldaten und einem quer stehenden Zug. Dann nahm er drei Panzer, setzte sie wie ein Schachspieler um, fuhr mit ihnen dreimal dotzend gegen den Zug, schwieg und strahlte uns an. So, sagte er. Genau so hätten wir in Stalingrad doch noch siegen können. Durch eine entschiedene heftige Offensive der linken Flanke wäre die Blockade aufzuweichen gewesen. Deutschland hätte gewinnen können, das ist jetzt ganz klar. Wir verstanden nur Bahnhof, sagten: »Super, Herr Trautenau«, und gingen die Holztreppe wieder hinauf. Oben gab es noch ein Glas Sprudel für jeden von Frau Trautenau. Sie freue sich, sagte sie, dass wir Schüler so Anteil nehmen würden an den Passionen ihres lieben Mannes, sie selbst sei ja leider Vegetarierin. Sie sagte wirklich Vegetarierin. Bis heute frage ich mich, ob sie eigentlich Pazifistin sagen wollte, dann aber nicht wusste, ob wir das Wort kannten, und sich dann in ihrem eigenen Fremdwortkasten vergriff.

Wenn ich so ins Tal blicke, habe ich fast das Gefühl, dass sich die Panzer in der Märklin-Landschaft bewegen, aber es sind nur ein paar Wohnmobile, die am großen Baggersee einen Stellplatz suchen. Mir ist nicht ganz klar, warum. Bis heute haftet Baggerseen ja ein Hauch von Romantik an, und manchmal glaube ich auch, dass es für Städter, wie ich nun auch einer geworden bin, fast schon die halbe Erfrischung ist, überhaupt diesen Satz auszusprechen. Dass man sonntags an einen See fährt. »An den See«, das klingt ähnlich verheißungsvoll wie »aufs Land«, »an den See auf dem Land« ist dann sozusagen die Krönung der schönsten Stunden. Scheinbar. Denn in Wirklichkeit ist es ja doch eher so, zumindest bei mir, dass man sich komischerweise immer den ersten bewölkten schwülen nach vier Tagen klarstem Sonnenschein zum An-den-See-Fahren aussucht. Die meiste Zeit ist man immer mit der Anreise und der Parkplatzsuche in sengender Hitze beschäftigt. Man verbringt danach drückend heiße Sonntagnachmittagsstunden unter einem bewegungslosen weißen Himmel, schwitzt auf einem kleinen, steinigen Abhang und freut sich insgeheim auf den »Tatort« nachher, im abgedunkelten Wohnzimmer, hat deswegen ein schlechtes Gewissen, steigt schließlich dann doch einmal ins Wasser und fühlt sich wie ein Stück Zucker, das in lauwarmem Brennnesseltee zerbröselt. Wenn ich den See da unten im Sonnenlicht schimmern sehe, dann denke ich zuerst an die fiesen, verdutzten Mäuler der Hechte, die ich hier aus dem Brennnesseltee herausgezogen habe, und vergesse die vielen dutzend Male, wo wir ohne Beute missmutig heimgerudert kamen. Ebenso ungern denke ich an die unzähligen Blinker, die dort unten am Ufer in den Bäumen hängen, weil ich zu riskant ausgeworfen und die Angelschnur sich in den Erlen am Ufer, im Schilf oder im Abwasserkanal vom Campingplatz verfangen hatte. Wenn ich an dem Campingplatz vorbeigehe, spüre ich bis heute eine ungemeine Erleichterung, dass ich an ihm vorübergehen kann. Wer auch nur je einen Tag zwischen fünfhundert Menschen in einhundert Wohnwagen stand, die schwitzend den ganzen Tag über am Seeufer vegetieren und darauf hinleben, abends eine Wurst auf den Grill legen zu können, der wird künftig von etwas anderem schwärmen als von See und Land. Das Einzige, was tagsüber geschieht, ist die Ankunft des alten weißen VW-Busses mit bimmelndem Italiener vorne drin, der auch bei uns zu Hause keinen Namen hat, aber laut »Gelato, Gelato« ruft. Dann kommen alle angerannt, holen sich eine Kugel halb zerschmolzenes Pistazieneis und trotten zu ihren ausgeleierten Liegestühlen zurück. Der Bus fährt weiter, von hinten sieht man nur noch die riesigen roten, gelben und grünen Eiskugeln, die der bimmelnde Italiener sehr ungelenk auf den VW-Bus gemalt hat, als er einmal nicht bimmeln oder lenken musste.

Ein Ausweg aus dieser Baggersee-Tristesse hätte vielleicht sein können, wenn Herr Trautenau seine Panzerschlachten nicht immer mit den Plastikdingern im Keller nachgespielt hätte, sondern hier unten im Tal mit den Wohnwagen, dann hätten die Besitzer wenigstens tagsüber mal eine Abwechslung gehabt. Und hätten nicht immer so spöttisch gucken müssen, wenn sich mein Blinker mal wieder vor den Augen von Dutzenden von Campern in einem Ast verfing.

Gerade merke ich, dass mir beim Thema Baggersee als Erstes eigentlich nur unangenehme Sachen einfallen. Vielleicht wäre es deswegen besser, die Camper, die Blinker und die riesigen Hechte zu vergessen und noch tiefer in die Vergangenheit abzutauchen. Zu den Abenden nämlich, an denen ich Damenbesuch hatte. Da ja schon mein Bruder immer nachts ins Freibad einstieg, musste ich mir etwas Neues einfallen lassen. Und da es unsere Generation gern etwas gefahrenfreier mag, stiegen wir einfach nachts in den Baggersee. Ich weiß noch nicht mal, ob das überhaupt verboten war. Aber nicht mal die Damen konnten mich mit dem See je wirklich versöhnen. Als ich einmal mit der Latzhosenträgerin in den See stieg, antwortete ich auf ihre Frage, ob es hier Fische gebe, nur ganz kleine. Zwar hatte ich vor ein paar Tagen im Netz vom Fischer Mühlacker noch einen riesigen Hecht gesehen, aber das behielt ich für mich. Ich weiß noch, wie meine Füße immer im weichen, leicht schmoddrigen Untergrund des Sees versanken, wenn ich die ersten Schritte hineinstieg, und dass ich in solchen Momenten eigentlich lieber auf einen ordentlichen festen Hechtrücken getreten hätte. Aber ich hielt die Dame an der Hand und lächelte und schwieg. In der Mitte des Sees wartete dann ein weiteres Hindernis in Form von schwimmendem Gras oder Tang oder Algen oder etwas Ähnlichem, auf jeden Fall etwas, in das man in der Dunkelheit hineinschwamm und in dem man sich verheddderte. Es fühlte sich ungefähr so an, als schwimme man durch einen riesigen Rucolasalat. Allein Frau Trautenau, die alte Vegetarierin, hätte daran vielleicht ihre Freude gehabt. Alle anderen, so auch ich, und selbst die Latzhosenträgerin, streiften sich die Rucolastiele leicht angewidert von Armen und Beinen, zogen sich ein Salatblatt aus dem Mund und schwammen etwas bedröppelt zurück. Zum krönenden Abschluss konnte man dann noch einmal schön im Schmodder versinken, bevor es dann doch einen Moment lang ein wohliges Körpergefühl gab. Dann nämlich, wenn ich mir über die frierenden, nur mit dem T-Shirt hastig abgetrockneten Füße die Socken zog und kurz darauf ein warm brodelndes Wohlgefühl von unten die Beine hochkroch, das einen allen Rucola vergessen ließ. Ein Paar wurden ich und die Latzhosenträgerin trotzdem nie. Genauso wenig wie, bei Tageslicht besehen, meine Socken als Paar durchgegangen wären. Aber das kennt man ja, fast alle Sockenpaare sehen nach dem Waschen aus, als seien sie zwar als Zwillinge auf die Welt gekommen, hätten danach aber doch ein sehr unterschiedliches Leben gelebt.

In dieser versonnenen Sekunde sprang das Autoradio an und gab Verkehrshinweise durch, ich schaute auf die Uhr und sah, dass ich den Zug nach Berlin endgültig verpasst hatte. Just in diesem Moment bog der Traktor plötzlich nach links in einen Feldweg ein, die Straße war wieder frei, der Stau löste sich auf. Das Knattern des Traktors allerdings hatte ich noch lange in den Ohren. Genau so, wie man die dicken Fliegen noch brummen hört, nachdem sie endlich aus dem Fenster entwichen sind.

Ich war zu Hause gewesen, weil Tante Do wieder Geburtstag gefeiert hatte, einen runden, auch diesmal. Unser Haus trägt zwar die Typenbezeichnung Fertighaus, doch ich habe sehr oft das Gefühl, es sei nicht ganz fertig gebaut worden. So ist die Decke zwischen Erdgeschoss und erstem Stock so dünn, dass eine Verständigung zwischen den Stockwerken jederzeit möglich ist, ohne dass man die Stimme sonderlich erheben muss. Das bringt den ungeheuren Vorteil mit sich, dass alle über alles jederzeit informiert sind. Um trotzdem Mädchen mit nach Hause bringen zu können, tarnte ich früher mein Interesse kulturgeschichtlich und sagte meiner Mutter, dass ich im Kunstkurs eine praktische Arbeit über Yves Klein machen würde und dass ich das Ganze gemeinsam mit Ann-Charlott praktisch umsetzen müsste. Zum Glück ist meine Mutter eher in der alten Kunst zu Hause, so dass sie keinen Verdacht schöpfte. Yves Klein war ein Franzose, der zum einen ein unglaubliches Blau erfand, das bis heute seinen Namen trägt und in das er alles tunkte, womit er arbeitete: Statuen, Schwämme, Leinwände. Außerdem hatte er die sehr schöne Idee, nackte Frauen mit seinem Blau zu bestreichen und anschließend über Leinwände zu ziehen, die auf dem Boden lagen. Diesen Teil seines Werkes hatte ich mir für die praktische Übung ausgewählt. Denn der Vorteil an diesem Spektakel ist, dass es fast geräuschlos vonstatten geht. Das war insofern wichtig, als an diesem Nachmittag Tante Do bei meiner Mutter zum Kaffee vorbeikam und also unten lustig die Tassen klimperten. Als sich Ann-Charlott gerade ihr T-Shirt auszog, hörten wir durch den dünnen Boden, wie Tante Do und meine Mutter unten darüber sprachen, wie schön es sei, dass ich mich so intensiv mit moderner Kunst beschäftige. Als ich ihr mit einem großen Pinsel blaue Farbe über den Körper schmierte, ging es unten schon um die Frage, wann Tante Marthel aus Bad Brückenau von der Kur nach Hause kommt. Und als ich Ann-Charlott dann schließlich an beiden Beinen nahm und sie über die ausgelegte Leinwand zog, wurden unten gerade mal wieder die aktuellen Heizölpreise durchgesprochen. Auch bei uns oben gab es Probleme: Auf den Leinwänden sah man am Ende nicht, wie beim Vorbild, Körperabdrücke in Blau, sondern einfach nur verschmierte blaue Farbe. Und leider sah man von der verschmierten blauen Farbe nicht sehr viel auf der Leinwand, dafür aber umso mehr auf dem darunter liegenden hellbraunen Teppich. Es dauerte eine halbe Ewigkeit, bis Ann-Charlott, stinksauer und immer noch hellblau, aus der Dusche kam. Und die blauen Streifen auf dem hellbraunen Teppich erinnern bis heute an die fröhlichen Stunden, als Yves Klein einmal bei uns zu Gast war.

Aber dieses Blau ist erst das dritte Blau, das ich sehe, wenn ich in meine Heimat fahre. Das erste ist das der Aral-Tankstelle, das von unten aus dem Tal heraufleuchtet, wenn ich mich von der Pfordter Höhe herab dem Städtchen nähere. Dann schickt Aral sein zutrauliches, warmes Blau in den Himmel wie einen visuellen Lockstoff. Es war jahrelang das Einzige, was in Schlitz leuchtete – neben den Straßenlaternen natürlich und der Taschenlampe von Bademeister Hajo Gildemeister. Nie ist irgendetwas Besonderes geschehen an dieser Tankstelle, außer dass ich hier sündhaft teuer tankte, selbst an den Tankwart kann ich mich nicht mehr erinnern, nur an das Blauweiß. Vielleicht kommt es ja daher, dass es so blauweiß ist wie die Farben von Schalke 04. Und sicher gibt es anderswo im Sauerland Tankstellenschilder, bei denen das Shell-Gelb untrennbar mit Borussia Dortmund verbunden ist. Und das Esso-Rot in Oberbayern mit Bayern München. Das Aral-Blauweiß weckt jedenfalls so sinnlos wohlige Gefühle bei mir, dass ich bei langen Autobahnfahrten jede andere Tankstellenmarke stur ignoriere, bis ich endlich wieder auf eine blaue treffe und erleichtert den Blinker setze. Nur einmal habe ich es damit zu weit getrieben. Irgendwo im tiefsten Osten zwischen Jena-Lobeda und Jena-Paradies ignorierte ich eine Total-Tankstelle zu viel, mein Wagen kam ins Stocken, dazu fiepte die Tankanzeige, und dann war der Ofen aus. Ich versuche seitdem, mich meinen nostalgischen Gefühlen nicht mehr ganz so besinnungslos hinzugeben.

Wenn ich beim Nachhausekommen nach Schlitz bei der Tankstelle in den Ort biege, blitzt schon das nächste

Blau um die Ecke. Es ist das Blau des Schlecker-Marktes, der da ist, wo früher der dicke Metzger Lüders mit seiner weißen Schürze immer morgens um elf Uhr vor der Tür stand und eine Zigarre rauchte, bevor er sich seinem nächsten Schwein zuwandte. In jedem kleinen Ort Deutschlands ist ja Schlecker dort, wo früher etwas anderes war, Metzger oder Bäcker oder Kurzwarenläden. Schlecker kommt mit seiner blauweißen Zunge überallhin und hat so innerhalb von ein paar Jahren den ganzen schönen deutschen Einzelhandel flächendeckend weggeschleckt. Dieses Blauweiß ist deshalb keines, bei dem ich Heimatgefühle bekomme, im Gegenteil. Erst nach den blauen Flecken von Aral und Schlecker kommen also zu Hause die von Yves Klein. Sie gehören zu den ältesten Exponaten in meinem persönlichen Heimatmuseum.

In meinem Heimatmuseum ist der Eintritt frei. Wenn ich meinen Mantel in die Garderobe gehängt habe, gehe ich sofort ins Museumscafé. Dort gibt es noch Filterkaffee aus einer röchelnden Kaffeemaschine. Zwar hat auch dieses Museum keinen Ankaufsetat, aber der Bilderschmuck wächst trotzdem unaufhörlich, da alle sieben Enkel permanent neue Aquarellbilder an die Großmutter schicken. Und die begeisterte Großmutter versucht, alle gleichberechtigt unterzubringen. Das Heimatmuseum ist mein Elternhaus – und die Häuser der Tanten und Nachbarn sind dessen Außenstellen. Ich könnte ja auch ins echte Heimatmuseum gehen, oben in der Burg. Aber da sind Geräte, deren Sinn ich nicht mehr verstehe. Eiserne Rechen zum Abstreifen der Flachsknoten, die zu Leinöl verarbeitet werden. Nach dem Rösten im Wasserloch geht der Flachs dann durch die ebenfalls ausgestellte Breche, wird dann mit dem Schwingeisen geschlagen, durch die Hechel gezogen und mit der Kratze gereinigt. Auf den Rocken gesteckt, wird er auf dem Spinnrad gesponnen, auf der Haspel zu Gebunden gedreht, mit dem Spulrad gespult und auf dem Webstuhl zu Tuch gewebt. Da wird man ja schon von den Worten ganz wuschig. In meinem persönlichen Heimatmuseum geht es prosaischer zu. Denn es war einmal, da waren all die Dinge dort selbstverständlich für mich, langweilig, normal. Erst im Rückblick werden sie zu besonderen Exponaten, weil man weiß, dass es Requisiten sind aus einem Stück, das nie wieder aufgeführt wird, höchstens zwei-, dreimal im Jahr, wenn Tante Do Geburtstag hat oder an Weihnachten, wenn ich wieder heimreise und das Heimatmuseum besuche und seine Außenstellen. Das Alltägliche ist zum Besonderen geworden, die Küche und das Bad zu einer Art technischem Museum.

Wenn es einen Führer gäbe in diesem Museum, dann würde er zunächst kurz auf die vier Klassiker verweisen, die in den siebziger Jahren des zwanzigsten Jahrhunderts in keinem Haushalt fehlen durften: die mittelalterliche Küchenmaschine aus verzinktem Grauguss, durch die man den Kuchenteig presst und den Johannisbeeren den letzten Tropfen Saft entlockt. Dann ein Gerät, das die Steinzeitform von Video- und DVD-Player darstellt, ein so genannter Projektor, mit dem man knatternd und ratternd Super-8-Filme abspielen konnte, sehr merkwürdige Filme, die in ihrer Tonlosigkeit direkt an die legendären Stummfilme anschließen und auf denen immer Tanten und Kinder in Schwarzweiß über die Leinwand wackeln und sich so zackig bewegen wie die Menschen in den alten Dick-und-Doof-Filmen. Schließlich der Kassettenrekorder, der nur funktionierte, wenn ich während der gesamten Aufnahme mit meinem rechten Daumen die Taste, auf der »Rec« stand und ein roter Punkt war, runtergedrückt hielt. Das war wahnsinnig anstrengend, aber die einzige Möglichkeit, Lieder aufzunehmen. Aber wahrscheinlich war es auch mitverantwortlich dafür, dass ich in meiner gesamten Laufbahn als DJ nur zweieinhalb Kassetten mit »Mixed Hits« bespielte, mit zahlreichen angefangenen Verkehrshinweisen inklusive.

Direkt neben dem Kassettenrekorder mit dem inzwischen fast ganz abgeschabten roten Punkt steht der vierte Klassiker, ein zweites Gerät aus der Bronzezeit. Eine Vorform des Staubsaugers, ein Zwitter zwischen Mopp und

Sauger, den man mit einem Stiel über den Boden zog, während sich unten die Bürsten drehten. Da etwa im Haus von Tante Marthel zahllose Nachlässe verstorbener anderer Tanten gelandet sind, hat sie im Keller eine kleine Sammlung dieser vorsintflutlichen Reinigungsgeräte, und immer wenn eines meiner Geschwister oder Cousins aus Schlitz wegzog, um zu studieren, versuchte Tante Marthel, ihm eines dieser namenlosen Drehstaubbürstendinger unterzujubeln. Doch alle blieben hart. Und das war auch gut. So hat das Heimatmuseum nun eine besonders exquisite Sammlung. Es gibt kein Museum in ganz Osthessen, könnte der Führer sagen, in dem sich mehr Vorgänger des Staubsaugers erhalten haben.

Aber das wirklich Besondere in meinem Heimatmuseum ist die Sonderausstellung »Lebende Geräte«. Es sind Geräte, die alle ihren ganz eigenen, manchmal launischen, manchmal schwierigen Charakter haben. Sie funktionieren nur, wenn man sie sehr sensibel behandelt und auf ihre Eigenheiten eingeht. Gerade deshalb kann man sich auch nie von ihnen trennen. Ich kann mich problemlos alle drei Jahre von meinem Handy trennen, weil es klobig geworden ist und der Akku zu klein. Von unserem alten Problemtoaster aber würde ich mich niemals trennen können.

Bei diesem schwarzsilbernen Toaster ist etwa seit der Regierungszeit von Helmut Schmidt die Runterdrücktaste defekt. Frühzeitig hat mein Bruder deshalb eine interessante Gummikonstruktion entwickelt, mit der die Taste unten gehalten wird, um das Brot zu rösten. Das rote Gummiband muss man während des Toastens am Schubladenknauf des Küchentischs untendrunter festmachen und – das ist das Entscheidende – auch wieder entfernen, wenn man glaubt, dass das Toastbrot durch ist. Denn dieser Toaster lebt zwar, denkt aber nicht. Leider wird man allzu oft an den Toaster und das Gummiband erst wieder durch den irritierten Satz »Es riecht hier so komisch« erinnert. Aber jetzt einen neuen Toaster kaufen, nein, das wäre doch wirklich vorschnell.

Ähnliches gilt für den Rasenmäher – er steht in einer Außenstelle des Heimatmuseums, bei Tante Marthel. Ich denke, dass es bald an irgendeiner Fachhochschule einen Studiengang geben wird, der den artgerechten Umgang mit diesem Gerät lehrt, so kompliziert ist er. Für ein paar Mark mähte ich immer bei Tante Marthel den Rasen und lernte dabei dieses Gerät im Lauf der Jahre sehr intensiv kennen. So muss man an dem albernen Anlasser nicht einfach nur kräftig ziehen, sondern in einem sehr mysteriösen Rhythmus erst schwach, dann stärker, dann wieder schwächer, dann stärker, stärker, wieder schwächer, und dann wieder ganz stark. So ungefähr. Manchmal war es auch anders. Auf jeden Fall zog man wie besessen an dieser Schnur. Dann irgendwann sprang er tatsächlich an. Aber er tatterte so vor sich hin. Und wenn man den Rasenmäher dann drei, vier Meter durch das seit Monaten ungemähte Gras geschoben hatte, er sich durch das Gras wühlte wie ein Ackergaul durch schweres, lehmiges Gelände, dann flogen rechts die dunklen nassen Halme heraus wie Dreck, blieben an den Gummistiefeln kleben – und dann war die Kiste auch schon wieder aus. Paff. Einfach so. Dann musste immer Onkel Hägar vorbeikommen. Er schraubte meist ein bisschen rum und sagte, dass das Luft-Benzin-Gemisch nicht stimmte. Man musste deshalb den kleinen Hebel, der oben am Griff war, zu irgendeinem richtigen Zeitpunkt kraftvoll umlegen. Ich suche diesen Zeitpunkt bis heute. War der Mäher aus, ging das Spiel von vorne los. Ziehen an der Schnur. Stark, schwach, stärker, immer wieder. Dann den kleinen Hebel umlegen und hoffen, dass es jetzt schon richtig war. Und dann ratterte er manchmal tatsächlich. Wenn es heiß war und ich in kurzen Hosen mähte, schossen mir außer dem Gras auch immer die in Stücke gehäckselten Äste mit voller Wucht gegen das Schienbein. Das durfte man natürlich nie Tante Marthel erzählen, sonst hätte es wieder geheißen, ja, hast du etwa keinen Auffangkorb drangemacht? Aber Auffangkörbe an Rasenmähern sind für mich wie Essen mit Schlabberlätzchen. Außerdem bildete ich mir ein, dass er ohne Auffangkorb ein bisschen einfacher anging, und ich fand auch, dass man den Geruch von zwanzig Kilo nassem, frisch gemähtem Gras, das man irgendwann, wenn der Auffangkorb voll war, auf den Kompost kippen musste, kaum ertragen konnte. Deshalb ließ ich das Gras lieber fröhlich wie Konfetti über die Wiese segeln. Gegen Kompost sprach auch, dass uns Onkel Hägar schon immer die seltsame Regel eingehämmert hatte, dass man zwar alles Grünzeug auf den Kompost kippen sollte, aber Grasschnitt gerade nicht, weil das dann irgendetwas ersticke, wen oder was auch immer. Ich war jedenfalls glücklich, ohne Auffangkorb und ohne Gedanken an den Komposthaufen, schob den Mäher weiter durch die schwere Grasmasse; es krachte, ich fuhr wieder über Steine und Holz, bröckchenweise peitschte es gegen meine Beine, ein kurzes Röcheln, dann war wieder Schluss. Es war immer eine unendliche Prozedur, in etwa vergleichbar dem Versuch von Sisyphos, einen Stein den Berg hochzurollen. Nur wurde mein Rasenmäher leider nicht ganz so berühmt. Aber immerhin steht er ja jetzt im Museum.

In seiner Sensibilität wird der Rasenmäher bei Tante Marthel nur noch vom Temperaturregler in unserer Dusche übertroffen. Aber langsam. Vor den Temperaturregler hat der liebe Gott die Duschmatte gelegt. Deshalb muss auch jede Erzählung über eine Dusche genauso beginnen, wie überall in Deutschland jede detaillierte Schilderung einer Wohnung beginnt. Und zwar mit den Worten »Man kommt rein«. Also: Man kommt rein in die Dusche, hebt den rechten Fuß, will zum Temperaturknopf – und dann fällt der Blick unweigerlich auf die Duschmatte zu den Füßen, die aus Gründen der Sicherheit dort liegt, aber durch das viele Mitgeduschtwerden so glitschig ist, dass sie selbst das eigentliche Sicherheitsrisiko darstellt. Das Erste, was ich seit fünfundzwanzig Jahren tue, wenn ich zu Hause die Dusche betrete, ist, mit spitzen Fingern die immer blitzsaubere neue Duschmatte anzufassen, an ihr zu ziehen, zu spüren, wie sich die leicht angefaulten Saugnäpfe am Boden festsaugen, dennoch fest zu ziehen, das fluppende Geräusch des Abziehens zu genießen und die Matte dann nach draußen zu legen. Deutschland muss ja in den siebziger Jahren flächendeckend mit diesen Duschmatten zugepflastert worden sein. Nach einigen Besuchen in italienischen Restaurants in Berlin habe ich das Gefühl, dass jetzt endlich eine vernünftige Form der Entsorgung dafür gefunden wurde. Die Saugnäpfe werden etwas weiß eingefärbt, klein geschnitten und dann vertrauensseligen Gästen als Tintenfischarme verkauft.

Deshalb fehlen in meinem Heimatmuseum jetzt auch die Duschmatten. Und der Besucher kann sich ganz auf den Temperaturregler konzentrieren. Der hat ähnliche Ansprüche in der Behandlung wie ein ausgewachsener Rasenmäher. Wenn man warmes Wasser wollte, musste man sich mit dem Regler auf eine komplizierte Interaktion einlassen. Drehte man sofort zu hektisch nach rechts, wurde das Wasser so heiß, dass sich offenbar kein kaltes mehr dazwischentraute. Man musste den Regler also genau auf 24,3 festhalten, auf keinen Fall mehr, denn bei 24,4 verbrühte man sich bereits den Rücken, und bei 24,2 schoss einem ein Schwall eiskalten Wassers über Leib und Seele. Selbst wenn man den Regler auf 24,3 feststellte, kam es erst einmal erschreckend kalt aus ihm heraus, man musste also unbedingt von außerhalb der Dusche mit langem Arm den Regler bedienen, den ersten Eisguss abwarten – und erst dann eintreten. Ein-, zweimal wagte ich einen Vorstoß und regte an, dass sich vielleicht einmal der Monteur unserer Dusche annehmen könnte, doch dann hieß es, es sei unmöglich, dass sich Herr Gegenbauer jetzt auch noch um die Dusche kümmern solle.

Ein besonders wertvolles Ausstellungsstück der Sonderausstellung ist der Computer. Er stand einst bei uns im Obergeschoss, ist nun aber schon seit einigen Jahren als Dauerleihgabe bei Tante Marthel, weil sie einmal Computer lernen wollte, dann aber doch keine Lust mehr dazu hatte und ihre Reiseberichte weiter mit der Schreibmaschine tippt. Der Computer war vielleicht einmal weiß, sieht aber inzwischen, wenn ich ihn bei Tante Marthel im Arbeitszimmer stehen sehe, aus wie die Wand in einer Bahnhofsgaststätte nach vierzig Jahren Qualm, es liegt ein blassgelber Film darüber, der immer weiter nachdunkelt, bald wird er aussehen wie eine alte Telefonzelle. Wenn man die »An«-Taste drückt, hat man das Gefühl, man wirft einen Rasenmäher an, so laut röhrend beginnt er zu laden. Wenn man ihn angeschaltet hat, kann man erst noch einmal in Ruhe ins Museumscafé gehen und einen Pott Kaffee trinken, früher ist er ohnehin nicht einsatzbereit. Das Öffnen der gespeicherten Dateien kommt mir dann vor wie eine Reise in die Vergangenheit, sehr merkwürdig, da stehen alte Texte, vor allem aber auch alte Sketche, Reden für Geburtstage von Onkels und Tanten, die längst nicht mehr leben, und Teile von Hausarbeiten, die ich nie fertig geschrieben habe, aber offenbar einmal an einem Wochenende zu Hause abschließen wollte. Alles liest sich wie von einem Fremden, eine Art Heimatarchiv, insofern steht er da bei Tante Marthel auch ganz richtig. Die jüngste Datei stammt etwa aus der aktiven Zeit von Hans Peter Briegel.

Seine Existenzberechtigung hat der Computer nicht wegen seiner Textdateien, sondern weil er ein Spiel auf der Festplatte hat, ein Motorradrennen mit drei Parcours, das ich bis heute fahre, wenn ich Tante Marthel besuche und aus dem Museumscafé komme; mit der N-Taste legt man sich in die Kurve, mit der V-Taste kann man hochschalten. Wenn man zu schnell hochschaltet, stürzt der Computer ab. Ich glaube, er hat insgesamt so viel Speicherkapazität wie ein heutiger Taschenrechner. Außerdem ist er ein fürchterliches Sensibelchen. Wenn es ihm nachts zu kalt war, sprang er morgens nicht an. Man konnte noch so sehr auf alle Knöpfe drücken, er schwieg. Irgendwann baute ich einmal alles auseinander (zumindest alles, was ich zerlegen konnte) und legte die Computerteile auf die Heizung, als Ablage quasi. Dann klingelte das Telefon, es war Jens, und ich kam erst nach einer Stunde wieder. Ich blickte auf das Chaos, hatte keine Ahnung, was zu tun war, und baute einfach wieder alles so zusammen, wie ich es auseinander gebaut hatte. Und was Wunder: Der Computer sprang an, als wäre nichts gewesen. Damals hatte ich nicht kapiert, dass es die Heizung war, die ihn kurierte. Doch irgendwann stellte ein Fachmann fest, dass es einen Haarriss auf der Festplatte gebe und dass es eventuell tatsächlich möglich sei, dass sich die Festplatte bei Hitze ausdehne und dann wieder alles funktioniere. Seitdem ich dies weiß und immer wieder den Computer zum Rösten auf die Heizung lege, habe ich ein ganz anderes, persönliches Verhältnis zu Computern.

Neben dem Computer steht auch immer noch der alte Drucker, der tatsächlich noch druckt (wahrscheinlich zumindest, seit Jahren hat das niemand probiert), allerdings in einem mittelalterlich anmutenden Verfahren, bei dem man Endlospapier einlegen muss, welches dann blassgrau ratternd bedruckt wird. Das Ganze passiert in einer derart nervtötenden Langsamkeit, dass oft das Ausdrucken eines Textes länger dauerte als das Schreiben desselben. Aber diese alten Drucker haben dieselbe Funktion wie die Traktoren auf den Landstraßen: Sie holen uns runter, sie stoppen uns, sie sind notwendig, um uns zu zeigen, dass wir uns in einer Entschleunigungsoase befinden.

Das gibt es vielleicht nur in der Provinz: diese Gleichzeitigkeit des Ungleichzeitigen – dass manche Ältere nicht wissen, ob sie gerade mit dem Vater oder dem Sohn gesprochen haben, dass man noch ein dunkelrotes Telefon von der Post hat, aber gleichzeitig eine Flatrate, dass man sich vom Navigationssystem die Wegstrecke anzeigen lässt und von den Kirchenglocken, wann man losfahren muss.

Oder: dass man eine Höhensonne von 1932 nicht wegwirft, sondern auch benutzt, weil sie ja noch immer geht. Als ich sie persönlich kennen lernte, hielt ich sie erst für einen Scherz. Sie sieht nämlich eher aus wie ein

Vogelkäfig mit Trafo und ist höllisch schwer. Zeitlich und designtechnisch war die Höhensonne für mich nie einzuordnen, mir schien es manchmal nur etwas unheimlich, dass sie sich in etwa so schnell aufheizte wie der Heizstab in einem Wasserkocher und ihre roten Rücklichter durch die Räume leuchteten. Als wieder einmal in unserem Haus alle Heizungen ausgefallen waren, meine Mutter erst mit dem Hammer gegen alle Rohre getrommelt und dann Herrn Gegenbauer angerufen hatte, saßen wir alle bibbernd zusammen, bis ihr die alte Höhensonne einfiel. Die stamme noch von ihren Eltern, erzählte meine Mutter dann, und zwar aus der Zeit, als mein Großvater gerade in unserer kleinen Stadt das Elektrizitätswerk gegründet hatte. Am Anfang hatte sich der ganze Ort, so wie es sich gehört, gewehrt. Wofür brauchen wir denn so viel Elektrizität, das ist doch neumodischer Unsinn, hieß es. Die Menschen schrieben empörte Leserbriefe an den *Schlitzer Boten* und erklärten, dass man in Webereien und Bleichereien und in der Seifenfabrik mit Dampfkraft wunderbar ausgestattet sei. Das morgendliche Brummen der Dampfkessel in der Leinenweberei Langheinrich wecke zuverlässig seit Jahren die Schulkinder in der ganzen Stadt. Da brauche man keine neumodische Elektrizität, das gehe wieder vorüber. Doch mein Großvater sah das anders. Er druckte Plakate und ließ sie an die Litfaßsäulen hängen: »Strom kommt ohnehin ins Haus, drum nutz ihn mit Geräten aus.« Denn er wusste, dass es mit dem Elektrizitätswerk war wie mit der Post. Man muss genug Briefmarken beziehungsweise Strom loswerden, um existieren zu können. Um mit gutem Beispiel voranzugehen, kauften meine Großeltern daher jeden Monat ein neues technisches Gerät. Erst den Elektroherd, dann das Bügeleisen, dann die Küchenmaschine und dann die Höhensonne. Weil es so etwas im Flachland nicht gab, wurde sie sogar aus der Schweiz importiert. Nur sie hat überlebt, aber wenn ich sie heute anschaue, würde ich sie sehr gerne nicht noch einmal ihre zuckende, rot leuchtende Energie durch die Räume strahlen lassen, sondern lieber in die geschlossene Abteilung eines Technikmuseums einweisen lassen.

Aber jetzt ist es zu spät, sich von ihr zu trennen. Jetzt ist die Zeit, wieder zuzukaufen. Denn es geht nicht mehr darum, solche alten, an sich unsinnigen Geräte loszuwerden. Sondern darum, sehr viel Geld und Mühe aufzuwenden, solch alte Geräte zu finden. Die alte Höhensonne. Die alten Rasenmäher. Und sicherlich auch bald die alten Computer. Man kann alles über Ebay ersteigern, wenn man will. Denn die zentrale Aufgabe von Ebay ist es ja eigentlich, die alte Rivalität zwischen Stadt und Land aufzuweichen. Und zwar über den Warenaustausch. Via Ebay können die Menschen aus der Provinz den Städtern endlich all ihre vergammelten Nähtische, Rasenmäher und alten *Yps*-Hefte unterjubeln. Man stellt seinen Sperrmüll jetzt nicht mehr auf die Straße, sondern ins Internet. Auch die Schlitzerländer können es gar nicht glauben, dass sie für ihren alten Schrott tatsächlich noch Geld bekommen, man sieht immer wieder glückliche Menschen, die dicke Ebay-Pakete zum Motorrad-Center Zöller bringen, wo ja jetzt der örtliche Postschalter ist. Und ich gehe auch jedes Mal wieder in die Falle: Immer wenn ich denke, dass ich wieder ein Schnäppchen gemacht habe, erhalte ich die Kontonummer des Verkäufers, und das sind dann immer Kreissparkassen oder Raiffeisenbanken in Orten, deren Namen ich nie gehört habe, und ich ahne dann, dass sich der bauernschlaue Verkäufer irgendwo auf dem Land wieder verwundert die Hände reibt, für was die Menschen in der Stadt so alles ihr Geld raushauen. Einmal hatte ich eine alte Rosenpflanze ersteigert. Bei Ebay stand, sie werde mit Muttererde versandt. Okay. Aber dann las ich, um welchen Boden es sich handelte: Der Rosenverkäufer nämlich war ein alternativer Gärtner in Schlitz. Als die Lieferung dann via Motorrad-Center Zöller und Ebay ankam und mir die Brocken Schlitzer Erde auf dem Berliner Balkon entgegenfielen, war ich leicht beschämt, aber auch glücklich, dachte mir, das hätten wir irgendwie auch alles leichter haben können, wusste aber auch nicht auf Anhieb, wie.

Wobei man bedenken muss, dass sich nicht jeder mit Ebay zufrieden gibt. Wer ein besonders schmuckes, privates Heimatmuseum will, wer eine eigene Tradition begründen will, der kauft bei den Heimatfreunden von Manufactum, denn es gibt sie noch, die guten Traditionen. Bei Manufactum will man dagegen angehen, dass immer weniger Menschen zu den »Dingen noch eine freundschaftliche Beziehung entwickeln, ihnen einen gewissen Respekt zollen können«. Ich glaube, ich und mein Verhältnis zum Computer und zum Rasenmäher sind da vorbildlich. Und ich habe das Gefühl, dass Manufactum sich auch an einem anderen Punkt an Schlitzer Errungenschaften orientiert. Als ich neulich schnell im Internet den neuen Katalog bestellen wollte, ging das mit ein, zwei Klicks. Aber dann der Hammer. Nach dreißig Sekunden Bestellvorgang teilte mir die Website mit: »Der Katalog wird in etwa vierzehn Tagen bei Ihnen eintreffen.« Auch hier also wieder der pädagogische Umerziehungsversuch. Es dauerte am Ende sogar fast drei Wochen, und ich bin mir leider nicht ganz sicher, was der Grund dafür ist. Entweder sie drucken den Katalog erst, wenn eine Bestellung eingegangen ist, und dann auf einem dieser Uraltdrucker. Oder aber, die Leute von Manufactum haben »eine freundschaftliche Beziehung« beziehungsweise einen »gewissen Respekt« zu alten Postkutschen und liefern ihre Kataloge auf diese Weise aus. Oder, und das scheint mir die wahrscheinlichste Variante, Manufactum hat die EU-Landwirtschaftssubventionen insofern umgeleitet, als es jetzt die Traktorfahrer für das gemächliche deutschlandweite Ausfahren der Kataloge bezahlt.

So etwas denkt man natürlich nur, wenn man mal wieder hinter einem Traktor festhängt. Denn meine freie Fahrt war nur ein kurzes Vergnügen. Kaum war der Bauer Michel zur Seite abgebogen, hing ich fünfhundert Meter weiter hinter dem nächsten Traktor fest, ich konnte nicht einmal sehen, wer ihn steuerte, so viele Wagen fuhren vor mir in der Prozession. So zuckelte ich erneut übers Land, rechts tauchte irgendwann der kleine, überwucherte Parkplatz auf. Vor zehn Jahren noch war es ein normaler Parkplatz gewesen, dann fiel eine Buche um, die die Einfahrt versperrte und nie weggeräumt wurde. Inzwischen wachsen Birken auf dem Asphalt, und wenn man es nicht weiß, würde man nicht glauben, dass man hier einmal rausfahren konnte. Es ist beruhigend zu wissen, dass sich die Natur auch die Straßen schnell zurückerobern wird, wenn wir die irgendwann einmal nicht mehr brauchen.

Am Ende des zwanzigsten Jahrhunderts, als dieser Birkenhain noch ein Parkplatz war, stand ich hier immer, wenn ich einen Ausweg aus dem Funkloch suchte. Der von der Natur zurückeroberte Ort stand in der technologischen Entwicklung nämlich einmal ganz weit vorne. Denn hier oben, und nur hier oben, gab es ein erstes kleines Klötzchen auf meinem Handy, erst hier hatte ich Empfang und konnte SMS versenden und empfangen und die Liebste anrufen, ohne dass es danach bei uns zu Hause gleich zum Tischgespräch wurde. Dass es in Schlitz keinen Empfang auf dem Handy gab, hat mich anfangs nicht weiter gestört, ich fand es fast natürlich, dass die modernen Kommunikationsmittel nicht sofort bis in die kleinsten Winkel vordringen. Ja, ich weiß sogar noch, wie komisch ich es fand, als ich tatsächlich so bequem mit dem Handy vom Sofa in Schlitz telefonieren konnte wie von dem in Berlin. Es hat mich dann immer beruhigt, dass alle anderen elektronischen, hochsensiblen Geräte im Haus zu krachen und zu knirschen begannen, wenn sich eine SMS ankündigte und durch die dünnen Wände unseres Fertighauses drang. Aus dem Radio war dann kurz ein Donnergrollen zu hören, als wehrten sich die alten Geräte gegen die neuen Schwingungen. Schönerweise waren sie beim Empfangen immer schneller als das Handy selbst, das erst piepste, wenn aller Donner verzogen war.

An diesem Tag gab es kein Funkloch mehr und auch kein Krachen im Radio, das Einzige, was mich noch aus der Realität in die Erinnerung zurückholen konnte, war das einschläfernde Knattern des Traktors, seine störrische Gelassenheit, die mich fast wahnsinnig machte. Plötzlich raste ein Rennrad an uns vorbei, es war der ehemalige »Frische Früchte«-Weller, der nicht nur dem Jahrhundert der Tante-Emma-Läden, sondern auch unserer stotternden Autokolonne mal wieder zeigte, was eine Harke ist. Es war sehr heiß im Auto, ich sehnte mich nach dem Fahrtwind, der Herrn Weller um die Ohren wehte, es war laut, ich wollte weg, wir kamen hinter Üllershausen in eine lang gezogene Linkskurve, über dem Ort sah ich ein Dutzend graue Tauben ihre gemächlichen Kreise über den Fachwerkhäusern flattern, und plötzlich konnte ich auch ein paar Wagen in der Kolonne erkennen, ich war mir nicht mehr ganz sicher, ob ich das wirklich sah oder eine Fata Morgana in der flirrenden Mittagshitze. Etwa zehn Wagen vor mir fuhr Lukas in seinem roten Ferrari, an diesem zweiten Traktor gab es auch für ihn kein Vorbeikommen, dahinter fuhr der türkische Hotelbesitzer, wir hatten ihn darauf angesprochen, dass in seinen Zimmern noch eine Leselampe fehlen würde, und da sagte er lächelnd, das lasse ich nicht auf mir sitzen, die hole ich gleich morgen aus Fulda (er hatte also mal wieder Wort gehalten). Dann sah ich den weißen Mercedes von dem »wunderbaren Landwirt«, der wahrscheinlich gerade nach Fulda zum Großmarkt fuhr, um frische Eier von frei laufenden Hühnern zu kaufen. Und war das nicht der große rote Aufkleber hinten auf dem Heck auf dem Opel vom

Schuster Seligmayr, mit dem er in seiner engen Garage besser einparken konnte? Hinter mir fuhr der Monteur Gegenbauer, und da war der kleine VW-Bus mit dem Mann, der aus dem Fahrerfenster immer eine Glocke schwingt und »Gelato, Gelato« brüllt. Dann irgendein schwarzer Jeep mit einer Mutti, die ihre Töchter zum Reiten brachte, dahinter der alternative Gärtner mit einem Anhänger voller Rosenstöcke. Und selbst Tante Do in ihrem Polo glaubte ich zu erkennen, sie fuhr bestimmt nach Bad Salzschlirf zum Schwimmen ins Solebad, noch hatte sie ja fünfzehn Jahre, bevor sie ihren Führerschein abgeben musste.

Bestimmt hatten es alle sehr eilig, doch der Traktor mahnte zur Geduld. Und wenn ich mir die Gesichter ansah, hatte ich, wenn ich ehrlich bin, nicht das Gefühl, dass es irgendjemanden außer mir besonders störte.

Das liegt wohl auch daran, dass sie Respekt haben vor den Traktorfahrern. Nicht nur, weil sie wissen, dass die ihnen die Kartoffeln und den Roggen fürs Brot von den Feldern holen. Das wäre eine zu romantische Sicht. Sondern auch, weil sie des bis heute anonymen Traktorfahrers gedenken, der einen legendären Ruf als Befreiungskämpfer hat. Bis vor acht, neun Jahren nämlich stand vor der Grundschule in Schlitz auf einer Verkehrsinsel ein großer stumpfsinniger Stein mit dem Relief eines

Bären und dem Hinweis »Berlin – 467 Kilometer«, was schon immer ein etwas übertriebener Verkehrshinweis war, wenn man nur bis zum Edeka wollte. Und außerdem natürlich ein ständig bohrender Stachel im Fleisch der Provinz, nach dem Motto: 467 Kilometer weit ab vom Schuss. Dabei wussten die Schlitzer schon immer, dass es eigentlich umgekehrt ist, weil es schließlich ein Schlitzer Lastwagenfahrer war, der bei der Berlin-Blockade in den fünfziger Jahren den ersten Lkw voller Gurken durch die sowjetisch besetzte Zone bis zur Avus gefahren hatte.

Eines schönen Morgens jedenfalls lag der Berlin-Wegweiser plötzlich auf der Verkehrsinsel wie ein umgekipptes Stück Johannisbeerkuchen. Fast alle Petunien waren platt gewalzt. Die Polizei fahndete nach einem Traktor, den Zeugen in der Nacht angeblich in der Nähe des Tatortes gesehen hatten. Aber irgendwie suchte sie wohl nur halbherzig. Als sei sie sich nicht ganz sicher, ob es sich überhaupt um ein Vergehen handele. Das alles erzählte mir Frau Linke, die Bäckersfrau. Als sie den Stein morgens so hilflos daliegen sah, kamen die städtischen Arbeiter vorbei, die fragten, ob man den Hinweis auf Berlin denn noch brauche. Und da hieß es in Schlitz: Eigentlich nicht.